MACADAM COWBOY

James Leo Herlihy est né à Detroit (Etats-Unis) en 1927.
Engagé dans la Marine en 1945, libéré en 1946, il commence
dès lors une carrière de comédien et d'auteur de théâtre. Sa
pièce Moon in Capricorn *(La lune au Capricorne) est pré-*
sentée à New York en 1953. Blue Denim *(en collaboration*
avec William Noble) sera portée à l'écran après une belle
carrière dans un théâtre de Broadway.
Son premier recueil de nouvelles, The Sleep of Baby Fil-
bertson and other stories *(Le Sommeil de Baby Filberston*
et autres nouvelles) paraît en 1959. Son second recueil, A Story
that ends with a scream *(Une Histoire qui s'achève sur un*
cri), est publié en 1957.
Entre-temps, James Leo Herlihy a écrit un roman, All fall
down *(De la plus haute branche, Stock 1961), qui paraît en*
1960 et fait l'objet d'un film en 1962. De même Midnight
Cowboy *(Macadam Cowboy), publié en 1965, inspire en*
1969 un film qui obtient plusieurs récompenses. Doit paraître en
1971 : The Season of the witch *(La Saison de la sorcière).*
Les œuvres de J. L. Herlihy ont été traduites en de nom-
breuses langues.

Se fiant à sa belle prestance, Joe Buck part tenter sa chance
dans l'Est où, paraît-il, les jolis garçons dans son genre sont
rares et font prime sur le marché. Mais il en va des femmes
riches de New York comme des truites dans les rivières ou
des champignons dans les bois, il faut savoir où les chercher... et Joe Buck ne connaît pas les bons endroits.
Tout métier s'apprend, même celui de cow-boy de charme, et
de déboire en fiasco auprès des messieurs comme des dames le
jeune conquérant venu du Texas voit fondre son pécule et
s'évanouir ses espérances.
Il a presque touché le fond du dénuement quand il retrouve
Rico Rizzo, le jeune infirme qui l'a escroqué de dix dollars. Ils
allient leurs infortunes et c'est alors que Joe, en s'éveillant à
l'amitié, se découvre un but dans une vie qui jusque-là n'avait
pas de sens : Rico a besoin de soleil, il l'emmènera en Floride et travaillera pour eux deux. Mais Rico meurt dans le
car avant d'arriver à Miami...
Ainsi finit l'histoire du cow-boy à l'âme engourdie et commence — peut-être — celle de Joe, l'homme de l'Ouest lavé de
ses brumeuses velléités par sa plongée dans les bas-fonds.

JAMES LEO HERLIHY

Macadam cowboy

ROMAN TRADUIT DE L'AMÉRICAIN
PAR ANTOINE GENTIEN

STOCK

Titre original :

MIDNIGHT COWBOY

Simon and Schuster Inc., éditeurs, New York.
© *James Leo Herlihy, 1965.*
Tous droits réservés pour tous pays.

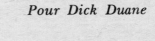

Pour Dick Duane

L'Écriture ne dit pas :
« Heureux les solitaires. »

MR. O'DANIEL

PREMIÈRE PARTIE

I

Avec ses nouveaux souliers, Joe Buck avait un mètre quatre-vingt-deux et rien n'était plus pareil. Quand il était sorti de ce magasin d'Houston quelque chose s'était noué en lui, puis avait sailli avec une force inconnue. Maintenant des muscles tout neufs jouaient dans ses fesses et dans ses jambes, le macadam sous ses pieds ne rendait pas le même son.

Un sentiment de puissance envahit le bel et étrange animal qu'était Joe Buck. « Je suis prêt », pensa-t-il et il se demanda ce qu'il entendait par là.

Penser n'était pas son fort. Pour lui, la meilleure façon de penser c'était de se regarder dans la glace. Et justement, il y en avait une à la porte d'une boutique. Quelqu'un qui lui était à la fois familier et inconnu, les épaules très larges, la démarche souple, l'œil vif, vint à sa rencontre. « Nom de Dieu, je suis content d'être toi », dit-il à son image. Il ajouta au bout d'un instant : « Foutaise que tout ça. A quoi est-ce que je suis prêt ? »

Alors il se souvint.

Quand il arriva à l'hôtel, un hôtel qui non seulement n'avait pas de nom mais qui avait perdu son O, il se dit qu'il était ridicule qu'il habitât un endroit pareil. Il monta l'escalier quatre à quatre et, une fois au quatrième étage, poussa la porte d'un cabinet de débarras qui se trouvait derrière sa chambre. Il en ressortit tenant à la main un grand paquet. Il déchira le papier brun et posa sur son lit une valise en cuir blanche et noire.

Il demeura immobile un instant. La beauté de cette valise le ravissait toujours. Le blanc du cuir était si blanc, le noir si noir, que l'on aurait dit une peau vivante. Il passa la main sur le dessus de la valise, non pas qu'il y eût de la poussière (peut-être y en aurait-il un jour ?) mais parce que c'était un geste qu'il aimait faire.

Il sortit des tiroirs d'une commode les richesses

qui y étaient accumulées depuis des mois : six chemises sans manches, des pantalons noirs en gabardine et en coton, des maillots de corps, une demi-douzaine de paires de chaussettes, deux foulards de soie, une bague en argent achetée à Juarez, une radio portative, quatre cartouches de Camel, des tablettes de chewing-gum, des objets de toilette, un lot de vieilles lettres...

Il prit une douche et rentra dans sa chambre pour se faire beau pour le voyage. Il se rasa avec le nouveau rasoir électrique, le nettoya soigneusement avant de le remettre dans son étui, fit jaillir de l'Eau de Floride sur son visage, ses dessous de bras et sa fourche, versa un quart de tube de Brylcream sur ses cheveux châtains (ils devinrent presque noirs), suça un bout de chewing-gum pour se rafraîchir la bouche, appliqua sur ses souliers neufs un cirage que le vendeur de tout à l'heure lui avait recommandé, mit une chemise noire avec des ramages (elle ne paraissait faire qu'un avec son torse puissant), noua un mouchoir bleu autour de son cou, arrangea l'extrémité du pantalon de velours côtelé de telle manière qu'au-dessus

des éblouissants souliers noirs apparût, comme
par hasard, la chair hâlée de ses chevilles, et
enfin revêtit une veste de peau souple comme
la pelure d'un animal. Quand il se mettait sur
son trente et un, Joe ne se regardait pas tout
entier dans le miroir. Il se concentrait sur la
partie de sa joue entamée par le rasoir ou sur
ses cheveux. Il ne voulait pas diminuer le plaisir
qu'il éprouverait tout à l'heure. On aurait dit
une mère préparant son fils à rencontrer une
personne très importante. Sa toilette terminée,
Joe Buck pivotait sur lui-même et s'éloignait
de quelques pas en se balançant d'une jambe
sur l'autre et en roulant les épaules pour faire
jouer ses muscles, il allumait une cigarette,
en tirait quelques bouffées et enfonçait son
pouce gauche dans la ceinture militaire posée
bas sur les hanches. Il se retournait alors afin
d'avoir de lui-même une vue d'ensemble, s'attendant presque à ce qu'un intrus caché derrière le
miroir l'appelât par son nom : Joe Buck.

Ce jour-là, l'image ternie que lui renvoya la
glace était celle d'un grand diable, au poil
noir, séduisant et dangereux. Dans la poche-
revolver de son pantalon, il tâta les billets de

banque qui y étaient pliés. Deux cent quatre-vingt-quatre dollars. C'était la première fois qu'il possédait une telle somme, mais ce qu'il possédait surtout c'était son propre moi, un moi en souliers neufs, maître de ses muscles et sûr de son charme. Il n'y a pas si longtemps, ce qu'il voyait dans le miroir, c'était un garçon morose et solitaire dont le corps et le visage ne le satisfaisaient guère. Ce garçon-là n'était plus. Il avait été remplacé par un nouveau Joe auquel l'avenir ne manquerait pas de sourire parce qu'il était jeune et beau.

Le bonheur qu'il éprouva fut presque trop fort. Il détourna les yeux de peur d'éclater en sanglots. Cela aurait tout gâché. Il boucla en hâte sa valise et descendit pour la dernière fois l'escalier de l'hôtel.

Au-dessus de la porte du café « Le Soleil », il y avait une enseigne en bronze doré dans laquelle était fichée une pendule. Elle marquait sept heures moins vingt.

Debout sur le trottoir d'en face, Joe imagina la scène suivante :

Il entre dans le café. Le patron, un homme au visage rose, est derrière la porte. Il tient dans la main sa montre et de son doigt gauche désigne le cadran à Joe. « Qu'est-ce qui vous prend ? dit-il. Votre service commence à quatre heures. » Les clients attablés lèvent les yeux. Joe se saisit de l'oreille de l'homme rose et l'entraîne vers l'office. Il pousse le patron contre la machine à laver. Il ne se presse pas. Il allume une cigarette, pose son pied chaussé de neuf sur une pile d'assiettes, lance une bouffée de fumée vers le plafond. Enfin il dit : « Il y a quelque chose au sujet de cette machine à laver qui me tracasse. Ah ! ce n'est pas d'aujourd'hui. Je me suis souvent demandé si ton cul s'y emboîterait. Penche-toi.

— Quoi ? Quoi ? Etes-vous fou ? »

Le regard de Joe devient menaçant.

« As-tu dit que j'étais fou ?

— Non, non. J'ai dit seulement...

— Penche-toi », dit Joe.

L'homme rose se penche et Joe voit un portefeuille qui dépasse de sa poche. Il dit : « Je crois que je vais prendre ma paie, plus une petite prime. »

Il se saisit d'une liasse de billets et sort de la pièce devant les plongeurs et les garçons de salle confondus d'admiration. Personne n'ose s'opposer à son départ. L'homme rose, pour plus de sûreté, reste penché sur la machine à laver.

Voilà la scène que Joe imagina et voilà ce qui en réalité se passa.

Il traversa la rue et entra au « Soleil ». Glissant son nouveau corps à travers les tables, il arriva à une porte sur laquelle était écrit : « Réservé au Personnel. » Au-delà de cette porte l'air n'était plus conditionné. Il poussa une autre porte qui menait à l'office. Un nègre d'un certain âge empilait des assiettes sur un plateau. Le nègre leva la tête et sourit. Il montra du doigt à Joe des paniers remplis de vaisselle sale : « Occupe-toi de cette merde, veux-tu ? »

Joe s'approcha du nègre.

« Je ne suis pas venu pour travailler. Je pars pour l'Est.

— Qu'est-ce que tu chantes ? »

Il vit la valise.

« Pour l'Est ?

— Ouais. Je suis venu dire adieu à cette taule. »

Une porte s'ouvrit et une grosse femme au

visage couperosé hurla : « Des tasses ! » La porte
se referma bruyamment.

Le nègre tendit la main : « Alors, au revoir. »
La main noire dans la sienne, Joe se demanda
un instant s'il n'allait pas prendre un tablier
et se mettre à travailler. Son hésitation fut
brève. « Je fous le camp », dit-il. Mais il ne
lâchait pas la main du nègre.

« Tu pars, dit celui-ci, mais comment ga-
gneras-tu ta chienne de vie dans l'Est ?

— Les femmes, dit Joe. Il y a des femmes
riches dans l'Est. Elles paieront.

— Elles paieront pour quoi ? »
Le nègre avait libéré sa main.

« Les hommes là-bas sont des tantes. Les
femmes casquent pour avoir ce qu'elles veulent.

— Ça doit être un drôle de bordel, dit le
nègre en hochant la tête.

— Oui, c'est un bordel. Et je connais les
adresses. Je me ferai du fric. »

Joe Buck qui était habillé comme un cow-boy
réalisa tout à coup qu'il n'était pas du tout un
cow-boy. Il se tenait-là, la bouche ouverte, les
yeux fixés sur le visage du nègre. Il dit : « Je
te demande ta bénédiction, papa. » Inutile de

dire que le vieux nègre n'était pas son père. Il n'avait pas de père.

Il sortit de l'office et ne chercha pas à parler à l'homme rose. A quoi bon puisqu'il ne lui dirait pas de s'introduire dans la machine à laver ?

La nuit tombait quand il se retrouva sur le trottoir. Il faisait doux. C'était le premier soir du printemps. Ses pensées étaient à des milliers de kilomètres. Il se voyait descendant Park Avenue à New York. Des femmes riches regardaient par la fenêtre et se pâmaient d'aise à la vue d'un cow-boy. Un maître d'hôtel lui tapait sur l'épaule, le poussait dans un ascenseur, puis dans un appartement orné de tapisseries et de tapis moelleux. Madame portait des dessous de soie sous sa robe d'intérieur. Elle palpitait. Un instant plus tard, elle était dans ses bras. Minutes enivrantes. Le maître d'hôtel lui tendait un chèque où la somme avait été laissée en blanc.

A la gare routière, il y avait un juke-box. En montant dans le car, Joe entendit une voix de femme qui chantait : « La roue de la Fortune, tourne, tourne... J'attends mon amant. » Il y a des moments dans la vie où tout a la

couleur de votre destin, où tout s'arrange
comme par enchantement. On demande au
conducteur : « Quand ce car part-il pour New
York ? » et il répond : « A l'instant. » La femme
chantait : « Il arrive. Il arrive. » (Oui, madame,
il arrive, il est déjà dans le car.) La vie est musique et c'est votre cœur qui bat la mesure.
Deux fauteuils sont à votre disposition, un pour
votre derrière et un pour vos pieds. Le monde
entier est à votre disposition. Le conducteur jette
votre valise sur le toit et met le moteur en marche,
non pour respecter l'horaire des « Cars Lé-
vriers » mais parce que vous voulez qu'il en
soit ainsi.

II

CE fut un grand jour pour Joe Buck que celui
où il partit pour l'Est dans un « Car Lévrier ».
Bien qu'il eût vingt-sept ans, il connaissait aussi
peu la vie qu'un garçon de dix-huit et peut-
être moins encore.

Il avait été élevé par plusieurs blondes. Les
trois premières, celles qu'il avait connues jusqu'à l'âge de sept ans, étaient jeunes et jolies.
Il les distinguaient mal les unes des autres et
n'aurait pas su dire laquelle était sa maman —
peut-être celle qui chantait les plus jolies chansons, *Les Yeux noirs* ou *La Dame en rouge*.
Les trois blondes vivaient ensemble. Elles
aimaient beaucoup Joe et lui laissaient faire
tout ce qu'il voulait.

A cette époque, il y avait la guerre et les
blondes y jouaient un rôle. Elles sortaient en

pantalon, un foulard sur la tête, à n'importe quelle heure du jour ou de la nuit. Il leur arrivait d'aller à Detroit et Joe se rappelait avoir vécu dans cette ville pendant plusieurs mois. A Detroit comme à Houston, des hommes en uniforme passaient quelques jours chez eux. Mais on ne lui avait jamais dit qu'il était le fils d'un de ces hommes. (Il devait apprendre plus tard qu'il n'était le fils de personne.)

Un jour — le ciel cet après-midi-là était particulièrement bleu — il fut remis entre les mains d'une quatrième blonde qui habitait Albuquerque, New Mexico. Il ne devait plus jamais revoir les trois autres blondes. Quand il pensait à elles, il évoquait un ciel bleu derrière lequel elles demeuraient cachées.

La quatrième blonde était sa grand-mère, une petite femme maigre qui, en dépit de sa maigreur, était plus jolie que les trois autres réunies. Elle avait d'immenses yeux gris avec de longs cils noirs qui paraissaient collés ensemble. Joe aimait ses yeux, mais n'aimait pas ses genoux. Ils étaient si noueux qu'ils lui donnaient envie de pleurer. Sally Buck — c'était le nom de sa grand-mère — dirigeait un ins-

titut de beauté. Elle était absente de la maison
dix à douze heures par jour. Le petit garçon
en revenant de l'école passait son temps avec
des femmes de ménage qui n'étaient pas blondes et qui n'avaient pas de cils peints en noir.
Elles le regardaient à peine.

Le dimanche n'était pas différent des autres
jours. Sally avait des rendez-vous à l'extérieur.
Elle avait un faible pour les hommes de la
campagne et la plupart de ses flirts travaillaient
dans des ranchs. Ils avaient la peau tannée et
de larges épaules. Joe admirait ces hommes
simples et forts. Mais eux ne lui accordaient
qu'un minimum d'attention. Sauf un. Il s'appelait Woodsy Niles. Il avait des joues bleues
et des yeux extraordinairement brillants. Il
apprit au petit Joe à monter à cheval, à fabri
quer des lance-pierres, à chiquer et à pisser
en décrivant un grand arc. Woodsy Niles était
un être enthousiaste. Sa joie de vivre éclatait
dans les moindres choses. Rien qu'à le voir
marcher ou fermer les portes du corral, on comprenait qu'il était heureux. Il chantait d'une
voix rauque en s'accompagnant de la guitare.
Quelquefois, quand Joe passait la nuit au ranch,

il était réveillé à trois heures du matin par
un bruit de chansons qui venait de la chambre
où couchaient Woodsy Niles et sa grand-mère.
Le petit garçon se disait que Woodsy aimait
beaucoup trop l'existence pour perdre son temps
à dormir. Il engageait sa maîtresse dans un duo
et Joe aurait bien voulu aller mêler sa voix
aux leurs. Pour lui, coucher avec une femme,
ce fut d'abord ceci : chanter des chansons et
réveiller toute une maison au milieu de la
nuit.

Malheureusement, Sally cessa de voir cet être
merveilleux — comme elle avait cessé de voir
les autres — et Joe fut laissé à sa tristesse. Il
avait perdu un homme qu'il considérait comme
un père. Du moins l'avait-il initié à la vie des
cow-boys. De ce jour, sa décision fut prise : il
serait plus tard un cow-boy sous une forme ou
sous une autre.

Après sa rupture avec Woodsy Niles, Sally
Buck emmena tous les dimanches son petit-
fils à l'église. C'était pour elle l'occasion d'exhi-
ber de ravissants chapeaux (elle ne sortait jamais
en semaine) et aussi de se mettre en valeur.
Car Joe la flattait beaucoup. On aurait dit

une mère et son fils. Une génération était esca-
motée au profit de la jolie blonde.

Après l'office, les grandes personnes allaient
boire un café et les enfants assistaient à l'école
du dimanche dans la salle paroissiale. L'institutrice, une jeune femme aux yeux de biche,
leur disait que Jésus était tout Amour. Un
tableau accroché au mur Le représentait marchant au côté d'un petit garçon. On ne voyait
que le derrière du cou de l'enfant, mais Joe
se disait que c'était lui, Joe Buck. Jésus lui
disait qu'Il l'aimait. Un jour, l'institutrice leur
raconta ce qui s'était passé un vendredi terrible. Après quoi, elle distribua des images en
couleurs. Joe aurait donné n'importe quoi pour
soulager une pareille infortune. Il était fasciné
par sa petite image. L'Homme à la barbe blonde
le regardait tristement et ses yeux semblaient
dire : « J'ai beaucoup souffert, mais cela me
console d'avoir pour ami un petit cow-boy comme
toi. » Joe se demanda si un Jésus sans barbe
n'aurait pas eu les joues bleues de Woodsy.

Et peut-être y avait-il entre eux d'autres ana-
logies. Plusieurs soirs de suite, il posa sur la
commode devant l'image une blague à tabac

et un paquet de cigarettes dans le cas où
l'Homme à la barbe viendrait le voir. Mais Il
ne vint pas et Joe cessa bientôt de croire que
quelqu'un marchait à ses côtés et lui disait
qu'il était son ami. Jésus alla rejoindre ceux
qu'il ne reverrait jamais. Il était derrière le
ciel avec les trois blondes et Woodsy.

Un beau jour Sally Buck renonça à aller à
l'église. Un employé des postes était entré dans
son magasin en portant un lourd sac à outils,
et dans sa vie. Pendant une année entière, Joe
ne vit pour ainsi dire jamais sa grand-mère.
Livré à lui-même, il alla de moins en moins à
l'école (les heures de classe l'ennuyaient à mourir et ses camarades regardaient à peine ce
garçon aux grandes dents qui s'asseyait au fond
de la classe et ne savait pas sa leçon) et bientôt il y renonça tout à fait. Sa solitude — il
entrait dans sa quatorzième année — devint
complète. Il se levait à midi, fumait des cigarettes, mangeait des sardines et des cacahuètes
et regardait des kilomètres de films se dérouler
à la télévision. La télévision — il y en avait
une dans le salon de Sally — lui était devenue
indispensable. Il lui fallait des images et des

sons pour chasser les ennemis qu'il sentait tapis dans l'ombre.

Sur l'écran apparaissaient des blondes qui ressemblaient à celles qu'il avait connues. Claire Trevor, Constance Bennett, Barbara Stanwick écartaient les rideaux d'un beuglant ou bondissaient d'une diligence et ce cow-boy dressé sur sa selle, le regard vengeur, était-ce Tom Mix, Henry Fonda ou Joe Buck lui-même ? De plus en plus, il s'identifiait à un héros de western.

Des mois, des saisons passèrent. Joe était presque toujours accroupi devant l'appareil de télévision, en proie à une apathie grandissante. Un jour — la chaleur était accablante — il décida d'aller prendre un bain dans le fleuve. En nageant, il réalisa que son corps était devenu celui d'un homme. Il sortit de l'eau. Ses bras, ses jambes et son torse étaient recouverts d'une toison noire très honorable. La découverte l'enchanta. Encore tout trempé, il sauta sur sa bicyclette. Il avait hâte de se contempler dans la glace à trois faces de Sally. Ce qu'il y vit lui plut. Les traits de son visage s'étaient accusés et sa bouche s'était élargie comme si elle avait voulu s'adapter à des dents bien rangées et très

blanches, mais jusque-là un peu trop grandes.
Il comprit que son sourire serait son principal
atout.

Il s'habilla et sortit afin que chacun pût
juger du changement qui s'était produit en lui.
Déçu de ne pas rencontrer de regards admi-
ratifs, il se rendit au magasin de sa grand-
mère.

« Mon Dieu, comme tu es mal fichu ! s'écria-
t-elle en le voyant. Ton costume a rétréci.

— Mon costume n'a pas rétréci. C'est moi
qui ai forci.

— Peut-être bien, mon enfant. Voilà de
l'argent. Va t'habiller de neuf. »

Plus tard dans l'après-midi, Joe alla se pavaner
dans Albuquerque. Il portait un pantalon bleu
ciel très collant, une veste de sport orange et
des mocassins de daim. Il revint auprès de
sa grand-mère qui approuva ses achats. « Tu es
devenu bien coquet, Joe. Est-ce que tu as un
flirt ? »

De retour à la maison, il alla de nouveau
se regarder dans la glace. Le charme s'était
évanoui. Pourquoi ? Parce que, avec la conscience de sa virilité, s'était glissée en lui l'idée

que personne ne s'intéressait à lui. Parce qu'il était seul au monde.

Joe n'avait jamais su se faire des amis. Il avait cherché à se rapprocher de différentes personnes : la veuve de l'épicier, la caissière d'un Prix-Unic, un vieux ressemeleur de souliers, un pompiste de son âge, une ouvreuse de cinéma. Aucune de ses tentatives n'avait été couronnée de succès. Il avait fini par comprendre qu'on ne se lie qu'en faisant la conversation. Et il n'avait jamais rien à dire. Les quelques paroles qu'il échangeait avec Sally ne signifiaient pas grand-chose. Elle l'écoutait à peine en se passant du noir sur les yeux ou du rouge sur les lèvres, plus attentive à effacer vingt ans de son visage qu'aux propos que lui tenait son petit-fils.

Un soir — il venait d'avoir dix-sept ans — il entra par désœuvrement au cinéma « Le Globe ». Il reçut un coup au cœur. Le nom de la fille était Anastasia Pratt.

III

ANASTASIA PRATT, bien qu'elle n'eût que quinze ans, jouissait d'une grande popularité auprès des garçons. Elle appartenait à la légende d'Albuquerque. Cette légende n'avait pas été forgée de toutes pièces comme il arrive parfois; dans son cas, la réalité dépassait la fiction. Pleine d'expérience (elle avait commencé sa carrière amoureuse à douze ans) il lui suffisait d'une demi-heure pour étancher la soif sexuelle de ses jeunes amis. Elle devait respecter cet horaire afin d'en satisfaire le plus grand nombre possible.

Derrière l'écran d'argent du cinéma « Le Globe », il y avait une grande pièce où étaient rangées les lettres qui servaient pour les titres de la façade (elles s'éclairaient le soir au néon), les uniformes des ouvreuses, des serviettes, du savon, et différents accessoires. Dans un coin étaient roulés les tapis de la salle et des escaliers qui servaient une saison sur deux. C'était sur cette pile de tapis que la légende d'Anastasia était née. C'était là qu'elle offrait son corps le plus souvent, encore qu'il lui arrivât de se contenter d'une voiture en stationnement ou d'un banc dans une avenue déserte.

On ne pouvait dire qu'Anastasia était jolie, pas plus qu'on ne pouvait dire qu'elle était laide. Elle ressemblait à toutes les écolières de la ville et si honnête était son comportement quand elle allait à l'école ou en revenait, ses livres sous le bras, avec la même petite jupe et les mêmes souliers plats que ses camarades, qu'une personne non avertie n'aurait jamais pu se douter des orgies nocturnes auxquelles elle se livrait. Il y avait deux êtres en elle. Miss Jekill, la petite fille sans maquillage, les cheveux sagement tendus par une barrette, et Miss Hyde.

En dépit de la renommée d'Anastasia, trois personnes ignoraient tout de sa conduite. Deux étaient naturellement ses parents, des gens fort honorables qui gagnaient difficilement leur vie;

la troisième, du moins jusqu'à un certain vendredi soir, était Joe Buck.

Les deux jeunes gens firent connaissance à
la buvette du « Globe ». Il lui offrit un verre
de limonade. Elle l'avala d'un trait et le remer-
cia d'un sourire. Il sourit en retour. Elle dit :
« Voulez-vous venir vous asseoir à côté de moi ? »

Ils s'installèrent au troisième rang des fauteuils d'orchestre. Anastasia appuya son genou
sur celui de Joe et commença à se trémousser.
Leurs mains se joignirent. Au moment où Joe
constatait avec horreur que ses paumes étaient
moites, elle lui saisit la main droite et la posa
sur sa cuisse gauche. Elle se servit de sa main
à elle pour juger du degré d'excitation du
garçon. Jugeant que celui-ci n'était pas négligeable, elle demanda à être embrassée. Dans
son émoi, Joe n'y avait pas pensé. Les lèvres
de la fille se collèrent aux siennes, dans un
élan vital tellement désespéré qu'il eut l'impression de faire du bouche à bouche à une personne blessée mortellement dont le cœur bat
encore.

Des garçons descendirent l'allée centrale et
vinrent s'asseoir derrière eux.

L'un d'eux dit : « Vous savez, c'est Anastasia Pratt.

— Tu rigoles, dit un autre.

— Qui est le type ? » dit un troisième.

Leur conversation se poursuivit à voix basse.
« Ma parole, il l'*embrasse.*

— Qui est le type qui embrasse Annie ?

— Annie, avec qui es-tu ? »

Anastasia se retourna. « Taisez-vous, s'il vous
plaît. Laissez-moi profiter de l'occasion.

— L'occasion ? Elle est bonne celle-là. Je suis
là, Annie. Et le petit ami — tu sais de quoi
je parle — est là aussi. Veux-tu que je frappe
avec sur ton dossier, ça te portera bonheur.

— Fichez-moi la paix, voulez-vous ? »

Joe ne comprenait pas grand-chose à ce qui
se passait. Il avait vu beaucoup de couples
s'embrasser dans ce même cinéma et cela l'avait
laissé indifférent. Il n'en avait pas moins l'impression de faire quelque chose de répréhen-
sible. Un des garçons de la bande se pencha
en avant et reconnut Joe Buck. « Mais, les gars,
c'est Joe Buck, Joe les grandes dents. » Joe
n'osait pas regarder derrière lui.

« Dis donc, vieux, tu étais en train d'embrasser Anastasia. Tu te contentes de peu. Tu sais, tout Albuquerque lui a passé dessus. »

Le garçon ne paraissait pas en colère, sa voix était plutôt amicale. Joe se retourna et reconnut un Italien auprès duquel il était assis à l'école. Son nom était Bobby Desmond.

Anastasia Pratt se leva de son fauteuil et s'engagea dans l'allée centrale. Les garçons la suivirent, à l'exception de Bobby Desmond qui s'approcha de Joe et lui dit tout bas : « Viens aussi. »

Joe obéit. Au fond du cinéma, il y avait six garçons à peu près de son âge qui bloquaient la sortie. Anastasia leur demanda de la laisser passer. Elle voulait rentrer chez elle. Un jeune homme blond, à la figure pleine de boutons, dit : « Tu sais, Annie, Gary Amberger est là-haut. Il veut te voir.

— Je suis sûre qu'il n'est pas là », dit Anastasia. Mais il y avait une interrogation passionnée dans sa voix.

La bande descendit une des allées centrales du cinéma. Joe fermait la marche. En passant sous l'écran, il entendit la voix d'une actrice d'Hollywood. Elle disait : « Pour moi la situa-

tion est sans issue. Il ne nous reste qu'à préten-
dre que rien n'est arrivé. »

Ils montèrent quelques marches et pénétrèrent dans la réserve. L'un des garçons alluma
l'électricité. Anastasia dit : « Où est-il ? Où est
Gary Amberger ? »

Le jeune homme blond qui s'appelait Adrian
Schmidt dit : « Sur le tas de tapis.

— Tu mens, dit-elle. C'était une attrape.
Pour me faire venir ici. Je vous connais, mes
amis. » Elle cria : « Gary ! Gary ! Si tu es
là, dis-le ! »

La voix de l'actrice sur l'écran monta jusqu'à eux. « Eteins les bougies, chérie, et faisons
un vœu. On chantera après *Heureux anniversaire.* »

Anastasia dit : « Sortez d'ici. » Tous, sauf
Joe, savaient que cet ordre ne serait pas exécuté.
« Je suis sûre qu'il n'est pas revenu, reprit-elle
après un silence, mais je vais tout de même
aller jeter un coup d'œil. »

A l'autre bout de la pièce, Adrian Schmidt
était étendu sur les tapis. Il avait laissé tomber son pantalon et agitait sa verge. Les
autres ne tardèrent pas à faire de même. Anas-

tasia retira sa culotte et dit : « Quelqu'un de
gentil d'abord. » Adrian Schmidt apprit qu'il
passerait en dernier. Parce qu'il avait menti
au sujet de Gary Amberger. A dire vrai elle
ne l'avait pas cru. Gary Amberger avait quitté
Albuquerque trois ans plus tôt pour Flint, dans
le Michigan.

Tandis que les jeunes gens passaient à l'action, Anastasia, parfaitement immobile, la tête
penchée de côté, se mordait les ongles en pen-
sant à n'importe quoi comme ces malades
atteints d'un cancer qui acceptent d'être traités
aux rayons X tout en sachant que ceux-ci ne
les guériront pas.

Elle dit à un des garçons : « Dépêche-toi. Je
ne vais pas passer la nuit ici. » Mais personne
n'attachait d'importance à ce que disait Anastasia.

Joe grimpa à son tour sur elle et l'intérêt de la fille s'éveilla un peu, sans doute
parce qu'il s'agissait d'un nouveau. Quand elle
tourna la tête, il lui dit à l'oreille : « Qu'est-ce
qu'il y a ?

— Oh ! rien. Je regarde les lettres pour la
façade. Je me demande si on pourrait en

faire un mot, un mot qui aurait de l'influence sur notre vie. »

Un des garçons dit : « Je suis sûr qu'il l'embrasse encore.

— Laisse-le tranquille », dit Bobby Desmond.

Un petit trapu demanda une cigarette à Adrian Schmidt. Il refusa. « Je ne suis pas de bon poil. C'est moi qui vais être le dernier.

— Tais-toi, dit Bobby Desmond. Il ne faut pas qu'elle ferme ses jambes et qu'elle rentre chez elle. »

A ce moment, on entendit la voix d'une vieille dame : « Ne faisons pas de vœux, ils ne se réalisent jamais. »

Joe dit à l'oreille d'Anastasia : « Est-ce que c'est bien comme ça ?

— C'est drôle que tu me le demandes », dit-elle. La voix d'Adrian Schmidt s'éleva de nouveau : « Qu'est-ce qu'ils foutent là-bas ? J'aurais dû les chronométrer. On devrait toujours chronométrer. A partir d'aujourd'hui... »

Anastasia Pratt prit la tête de Joe entre ses mains et lui dit tout bas : « Tu es le seul, le seul depuis Gary Amber. Tu es un brave garçon et, avec toi, je me sens honnête. Pas avec les autres. Embrasse-moi. Embrasse-moi, veux-tu ? »

Elle haletait. On aurait dit qu'elle venait de monter une côte très raide. Elle avait besoin de la bouche du garçon, comme si son propre souffle ne lui permettait pas de respirer à cette altitude.

Joe se rappela ce que lui avait dit Bobby Desmond.

La voix d'Anastasia se fit suppliante. Elle dit à plusieurs reprises : « Il le faut. »

A ce moment Joe éprouva quelque chose de si violent que tout ce qui n'était pas Anastasia et lui, lui parut subitement négligeable. La bouche de la fille se colla contre la sienne. Tout son être frémit.

Après l'orgasme, elle ne voulut pas se détacher de lui. Elle l'entourait de ses bras et pleurait silencieusement.

Une autre vieille dame de Hollywood dit d'une voix chevrotante : « N'oubliez pas, mes enfants, que la pauvre Sarah n'a pas d'autres famille que nous. Nous sommes des chrétiens, nous devons... »

Une porte claqua dix fois plus fort que dans
la vie réelle.

Anastasia remit sa culotte et défendit à
Adrian Schmidt de la toucher. Il s'approcha
d'elle dans l'intention de la gifler, mais les
autres garçons le retinrent. Elle sortit de la
resserre et descendit les marches du petit escalier.

Tandis qu'elle rejoignait sa place en titubant
un peu, l'orchestre jouait un air plein d'en-
train comme s'il eût voulu fêter son retour dans
le royaume des ombres.

IV

L'ADOLESCENT laisse passer de belles occasions. Il tombe amoureux mais, trop timide pour déclarer sa flamme, il trouve mille prétextes pour n'en rien faire. Il attend un miracle qui ne se produira pas.

Joe aurait bien voulu faire partie de la bande de garçons avec lesquels il avait partagé Anastasia Pratt dans la resserre du « Globe ». Mais Adrian Schmidt, le grand blond, le rendait responsable de l'affront qu'il avait subi ce fameux vendredi et il avait monté les autres contre lui. Lorsque Joe passait devant la papeterie qui leur servait de quartier général, ils lui faisaient les cornes à travers la vitre.

Quant à Anastasia Pratt, elle était sous son charme. Chaque après-midi, elle descendait sa rue en revenant de l'école, berçant ses livres

de classe comme on berce un bébé. Joe la guet-
tait derrière les stores vénitiens du salon de
Sally. La fille jetait un coup d'œil en coin
à la maison. On aurait dit un voleur guignant
la devanture d'un bijoutier.

Un jour, il la vit qui sonnait à une porte,
puis à une autre. Aux personnes qui se présen-
taient, elle offrait des billets de tombola. Joe
se hâta de répondre à son coup de sonnette.
En le voyant elle joua la surprise. « Comment,
tu habites ici ? Ça alors... je vends des billets
de loterie pour le patronage. En veux-tu un ?

— Non, merci. » Joe regardait les lèvres
d'Anastasia et pensait aux cornes que lui avaient
faites les camarades. La fille comprit à quoi il
disait non. « Es-tu sûr, Joe ? » Ses yeux étaient
pleins de larmes. Il la vit descendre les marches
du porche et s'éloigner. En marchant, elle agitait sa croupe. Quelque chose en lui bondit.
« Holà ! cria-t-il.

— Quoi ? »
Elle s'était retournée.
« Je vais chercher de la monnaie. »
Un éclair filtra à travers les paupières demi
closes et il eut un pincement au cœur.

La première femme que posséda Joe Buck fut cette enfant de quinze ans. Il avait honte d'elle et il avait honte de lui-même, mais il ne pouvait se passer de ses baisers pas plus qu'elle ne pouvait se passer des siens. Les journées étaient longues pour ce garçon inoccupé. Il broyait du noir. Il prenait de bonnes résolutions qu'il était incapable de tenir quand il la revoyait.

Les parents d'Anastasia reçurent une lettre anonyme les informant du don qu'elle faisait de son corps dans la resserre du cinéma « Le Globe », et aussi de ses visites à Joe. Mr. Pratt envisagea d'aller rosser le jeune homme... mais lorsqu'il apprit que celui-ci avait plus d'un mètre quatre-vingts et des épaules larges comme des armoires, il jugea plus sage de se rendre chez le commissaire de police. Joe ne sut jamais ce qui se passa entre les deux hommes. Le lendemain, Sally lui téléphona de son magasin. Sa voix était doucereuse : « Tout est arrangé, mon chéri. On va mettre la jeune fille dans une jolie maison. » La jolie maison était un asile d'aliénés.

La fin brutale de la carrière d'Anastasia Pratt

fit beaucoup jaser. Le nom de Joe Buck acquit
une certaine notoriété. Les bruits qui couraient
sur son compte étaient rarement exacts. On
disait qu'il avait forcé la malheureuse à se pros-
tituer, qu'il l'avait rendue enceinte, qu'il était
constitué de telle manière qu'elle avait perdu
la raison...

Conscient de ces ragots, Joe osait à peine
sortir en ville. Son oisiveté, son manque de
volonté, le fait d'être à la charge de sa grand-
mère, tout contribuait à lui donner un complexe
d'infériorité. Il envisagea de chercher un emploi, mais il renonça à cette idée car rien ni
personne ne l'y obligeait.

Sally, dont le magasin était en pleine pros-
périté, trouvait très naturel qu'il ne gagnât pas
sa vie. Ce qu'elle voulait, c'était ne pas s'occuper de lui. Elle le fournissait en argent de
poche généreusement. En échange, il se rendait
utile dans la maison, lavait la voiture, etc.

De temps en temps, il faisait l'amour. De
ces brèves rencontres, il sortait avec le sentiment d'avoir été exploité et bafoué. Ainsi avec
Bobby Desmond... Pendant quelques jours —
disons une semaine — le jeune Italien vint

le voir matin et soir. Joe ne tarda pas à comprendre que le jeune Italien cherchait à faire avec lui une expérience d'ordre charnel afin de compléter l'éducation qu'il avait reçue d'Anastasia dans la resserre du « Globe ». Joe, qui était très complaisant, accéda à son désir, mais trois semaines plus tard, quand Bobby se maria, il fut très étonné de ne pas être invité à la cérémonie.

Les personnes des deux sexes qui utilisaient son corps ne paraissaient pas se douter que ce corps était habité par Joe Buck. Lui-même donnait toujours l'impression d'être « ailleurs ». Comment expliquer cela ? Peut-être par son enfance solitaire...

Même lorsqu'il se dépensait sans compter auprès d'une femme dans l'espoir d'en faire sa chose pour toujours — c'était à quoi tendaient ses prouesses — son esprit vagabondait, envisageant un avenir de joies et de chagrins partagés.

Les années qui suivirent n'apportèrent pas de changement dans sa vie. A vingt-trois ans, il partit pour le régiment. Il ne fut pas un bon soldat. Il ne s'y attendait pas d'ailleurs. Il par-

vint néanmoins à éviter tout ennui sérieux.
Pendant son service, il écrivit souvent à sa
grand-mère.

Chère Sally. Je ne crois pas qu'on va me
nommer caporal. Columbus Ga est contre. Ah !
l'armée. Comment est Albuquerque ? les jour-
nées passent vite ou lentement ? Allons, je te
quitte parce que j'ai sommeil. Je t'embrasse
bien. Joe.
P.S. — On m'appelle le cow-boy ici.

C'était vrai. Un sergent lui avait crié un
jour dans la cour : « Cow-boy, viens ici ! » et
le surnom avait été adopté par ses camarades.
Cela lui avait fait plaisir. Il avait pris l'habitude de marcher d'une certaine manière et
d'enfoncer ses pouces dans les poches arrière
de son pantalon.

A l'armée, on ne cesse de rouspéter. Joe
ne s'en faisait pas faute et cela le rendait sympathique aux camarades. Eux aussi lui plai-
saient bien, un surtout qui était la gaieté même.
Il était de Cincinnati. « CIN, nom de Dieu,
CINNA — merde de merde — TI. » Cette façon

de parler en intercalant dans chacune de ses phrases des blasphèmes et des jurons, Joe l'avait adoptée. Il acquérait peu à peu une personnalité, un style.

Il ne se déplaisait pas au régiment. Le temps y passait plus vite qu'ailleurs. En octobre de la seconde année, il écrivit :

Chère Sally. C'est du 59 au jus, mais je compte rempiler. (C'est une blague, tu meurs de rire, n'est-ce pas ?) Hier, ils nous ont passés en revue parce qu'ils n'avaient rien d'autre à faire. C'est tout ce que j'ai à te dire. Attends-moi et sois sage. N'oublie pas que je suis ton flirt favori. Allons, au revoir. Je t'embrasse bien. Joe.

Ce fut sa dernière lettre à Sally et il ne sut jamais si elle l'avait reçue. Car une chose terrible était arrivée à Albuquerque.

Sa grand-mère avait trouvé (à soixante-six ans) un nouvel amant qui possédait un très beau ranch. Il était beaucoup plus jeune qu'elle et la différence d'âge rendait nécessaires quelques pieux mensonges. Ainsi elle lui dit qu'elle

savait monter à cheval. (Avait-elle jamais fait
du cheval ? Peut-être il y a quarante-cinq ans !)
Les gens devaient déclarer plus tard que cet
homme aurait dû s'opposer formellement à ce
qu'elle montât sur quoi que ce soit, car il sautait aux yeux que la pauvre créature était fragile comme du verre. Toujours est-il qu'un
dimanche matin, la vieille dame enfourcha un
alezan brûlé et partit dans le désert avec son
amoureux.

Ce fut la fin de la quatrième blonde de Joe
Buck. Ejectée de sa monture, elle se brisa en
plusieurs morceaux.

Joe apprit la nouvelle alors qu'il lavait un
camion dans la cour de la caserne. Un soldat,
dépêché par l'aumônier, lui remit un télégramme. Il émanait d'une employée de Sally.

PAUVRE JOE. TA CHÈRE GRAND-MÈRE S'EST TUÉE
EN TOMBANT DE CHEVAL. QUE DIEU TE GARDE.
CONDOLÉANCES SINCÈRES. ENTERREMENT VENDRE-
DI. MARLITA BRONSON.

Lorsque Joe eut lu le télégramme plusieurs
fois, l'assistant de l'aumônier lui demanda si

tout allait bien. Joe parut ne pas comprendre
la question. Il était frappé de stupeur. Quelques instants plus tard, un autre envoyé de
l'aumônier le trouva couché sous le camion.
Il mâchonnait le télégramme et tremblait de
la tête aux pieds. « Comment te sens-tu ? » lui
demanda le soldat. Ne recevant pas de réponse,
il dit : « Pourquoi ne sors-tu pas de là ? » Joe
ne bougea pas. Il avait un regard de fou. Le
soldat, pris de panique, alla chercher deux
camarades. Ils tirèrent Joe de dessous le camion
et l'emmenèrent chez le médecin. Celui-
ci lui fit une piqûre et le mit en observation
à l'infirmerie. Naturellement, il ne put se rendre à Albuquerque pour les obsèques. Trois
semaines plus tard, il reprit son service. Son
temps achevé, il voulut se rengager mais, apparemment, l'armée n'a pas besoin de soldats
qui réagissent d'une façon aussi dramatique
à la mort d'une grand-mère. On le renvoya
dans ses foyers. Il retourna à Albuquerque.
Personne ne l'attendait à la gare. Il s'inscrivit
dans un hôtel, puis alla rendre visite aux amis
de sa grand-mère. Sally n'avait pas laissé de
testament. Il apprit qu'elle avait une sœur (elle

ne lui en avait jamais parlé), qui habitait à Cœur d'Alene dans l'Idaho. Cette vieille dame ignorait tout de Joe. Elle était venue à Albuquerque, avait liquidé les biens de la défunte — y compris la maison dans laquelle Joe avait vécu depuis l'âge de sept ans — et était repartie pour Cœur d'Alene avec le produit de la vente. Il ne devait jamais avoir de ses nouvelles.

Le cœur triste, l'esprit inquiet, Joe, qui venait d'entrer dans sa vingt-cinquième année, éprouva le besoin de réfléchir.

C'était chose nouvelle pour lui. Il manquait d'imagination et surtout il n'avait jamais eu à exercer ses facultés intellectuelles. Celles-ci — il était loin d'être bête — ne pouvaient lui servir à rien dans la situation où il se trouvait.

Il resta une semaine à son hôtel, les rideaux fermés, confondant la nuit et le jour, oubliant souvent de manger. Son sommeil était peuplé de cauchemars. Il ne pouvait se consoler d'avoir perdu Sally. Eveillé ou endormi, il l'appelait. Une nuit, il eut un rêve. Elle était assise au pied de son lit. Il ouvrit les yeux. Elle était là. Il la voyait de profil. Par la fenêtre ouverte, elle regardait le ciel étoilé. Il dit : « Sally, qu'est-ce que je vais devenir ? » Elle proféra quelques mots à peu près inintelligibles. Avait-elle dit : « Je veux rentrer chez moi » ou « Je ne sais pas monter à cheval » ? De toute manière, elle n'avait apporté aucune aide à Joe, mais il était content qu'elle se soit manifestée encore une fois.

La nuit suivante, il eut un autre rêve. Il se trouvait, grelottant de froid, au bord d'une route qui menait d'un bout du monde à l'autre. Des gens la parcouraient, liés les uns aux autres par une ceinture de lumière. Ils venaient de l'est et se dirigeaient vers l'ouest. La queue était interminable. Il y avait des individus de toute espèce : des conducteurs d'autobus et des employés de banques, des musiciens et des soldats, des nègres et des Chinois, des jeunes filles et des femmes âgées, des voleurs et des saints, des putains et des sœurs de charité, des chiffonniers et des milliardaires. Il y avait le monde entier et il ne connaissait personne. Plusieurs fois il essaya de se glisser dans la file, mais la chaîne lumineuse devenait rigide à

son approche et il se retrouvait au bord de la
route, le corps et le cœur gelés.

Après ce rêve, Joe comprit qu'il était déraisonnable de ne jamais quitter sa chambre. Il
se passa de l'eau sur la figure, s'habilla et descendit dans la rue. Il faisait nuit, les réverbères
étaient allumés. Il se dirigea vers le centre
d'Albuquerque et fut surpris de constater combien cette ville où il avait vécu tant d'années
lui était étrangère. « Tu nous connais peut-
être, lui disaient les édifices publics, mais nous,
nous ne te connaissons pas. » Il alla rôder autour
de la maison qui avait été la sienne. Il s'adossa
à la fenêtre de la chambre à coucher de Sally,
s'attendant presque à ce qu'elle l'appelât. Non,
le silence, rien que le silence. Au bout d'un
long moment — ses yeux étaient pleins de
larmes — il se dit : « Je vais foutre le camp
d'ici. »

Il revint à l'hôtel, monta à sa chambre et
enfouit ce qu'il possédait dans un sac. Le sac
n'était pas grand et il s'étonna de pouvoir y
faire entrer tant d'années.

V

Une fois à Houston, Joe se mit en quête d'un coiffeur du nom de Natale qu'il avait connu au régiment. Mais il y avait tant de Natale avec le même prénom dans l'annuaire du téléphone qu'il renonça à ses recherches après avoir dépensé un dollar de jetons dans la cabine de la gare routière.

Il se dirigea vers le centre de la ville. Sa première impression fut qu'Houston n'avait pas besoin d'un habitant de plus. « Pourtant, se dit-il, j'y suis, j'y reste. »

Il s'arrêta devant un hôtel qui se trouva être celui dont l'O de l'enseigne manquait. L'endroit était sordide. Il était très mal chauffé. Et justement, il faisait terriblement froid ce jour-là. Joe, assis sur le bord du lit, eut le pressentiment de ce que serait son avenir : assis sur

un lit d'hôtel comme celui-ci, dans une chambre comme celle-ci, cherchant à faire le point
et n'y parvenant pas. Dans cinquante ans, avec
une barbe blanche tombant jusqu'au sol, il
continuerait à se demander pourquoi il n'y
avait de place pour lui nulle part dans le
monde.

La fenêtre donnait sur une cour intérieure.
Les bruits de la rue arrivaient dans la chambre
très amortis. Une torpeur l'envahit. Elle dura
plusieurs heures. Il en avait été ainsi dans son
enfance quand l'appareil de télévision se détra-
quait. L'air autour de lui devenait si lourd
qu'il était incapable de faire un mouvement.
Aujourd'hui, dans cette chambre d'hôtel, son
corps et son cœur étaient glacés. Et cela
n'avait rien à voir avec la température de la
pièce.

Il sombra dans le sommeil. Lorsqu'il se réveilla, il faisait nuit. Il s'habilla, se donna un
coup de peigne et sortit dans la rue. Il marcha
longtemps, rêveur éveillé, à la recherche de la
chaîne lumineuse qui était la vie.

Il se trouva tout à coup devant le café « Le
Soleil ». Il poussa la porte vitrée. L'établisse-

ment dégageait de la chaleur humaine. Joe
eut la curieuse impression de connaître tout
le monde. Les tables étaient occupées par des
couples et, au bar, des solitaires — la plupart
jeunes et du sexe mâle — fumaient des cigarettes en regardant dans le vide, le genre de
flâneurs qu'on rencontre dans toutes les boîtes
de nuit du monde et particulièrement aux Etats-
Unis. Ces gens-là ont dans le regard une tristesse sans doute incurable. Etrangers à la
terre sur laquelle ils vivent, étrangers l'un à
l'autre, ils semblent à la recherche de quelque
chose qu'on leur a volé, sans qu'ils puissent
dire quoi.

Joe se tenait à l'entrée, scrutant les visages
comme s'il eût espéré en trouver un qu'il
connût. Dans ce cas, il se serait approché et
aurait dit : « Qu'est-ce que tu fais là, vieux ? »
Il s'accouda au bar et commanda du café et
un hamburger. En attendant qu'on le servît,
il regarda autour de lui. Le miroir qui se trouvait au-dessus du comptoir lui renvoya l'image
de quelqu'un qu'il trouva sympathique : un
grand jeune homme aux yeux noirs, aux dents
blanches, qui avait un sourire en biais. « Ça alors !

D'où diable viens-tu ? — Qui ? Moi ? Je n'en sais fichtre rien, mais je suis là et je me plais bien. »

Il prit l'habitude de venir terminer ses soirées au « Soleil ».

Une nuit, il engagea la conversation avec le garçon de salle, un jeune Mexicain efféminé.

« Un tuyau, petit, dit Joe. Je suis fauché. Est-ce que tu gagnes bien ta vie ici ?

— On ne s'enrichit pas, dit le garçon en haussant les épaules. Un dollar l'heure. Faut dire qu'on est nourris.

— On bouffe bien ? »

Une idée venait de traverser l'esprit de Joe.

Le lendemain, il entra comme commis au « Soleil ». Il travaillait de quatre heures de l'après-midi à minuit, mais il aimait tellement l'endroit qu'une fois son travail terminé, il restait assis dans la salle, buvant du café et fumant des cigarettes jusqu'au petit matin.

La seconde nuit, le garçon mexicain s'approcha de sa table et lui dit : « J'ai cru que t'étais un gigolo.

— Non, non. »

Quand le garçon passa de nouveau près de lui, il lui dit :

« Qu'est-ce que tu croyais que j'étais ?

— Tu sais pas ce que c'est qu'un gigolo ? »

Joe le regarda d'un air si étonné que l'autre fut convaincu de son innocence.

« Ça alors ! tu m'en bouches un coin. Un gigolo, bougre d'idiot, c'est un gars qui gagne son fric avec ça (il désigna une partie de son individu). *Comprende ?* »

Des images flottaient dans l'esprit de Joe, mais il n'arrivait pas à les fixer.

« *Tu comprende muy bien ?* » dit le garçon en se dirigeant, la croupe tendue, vers une table où se trouvaient des camarades à lui.

A cette table il y avait cinq jeunes gens. Quatre d'entre eux étaient habillés comme des gamins, riaient très fort et ne cessaient de gesticuler. Leurs yeux allaient d'un client à l'autre comme des oiseaux qui cherchent une branche où se poser. Le cinquième était d'une autre espèce. Cela se voyait tout de suite. Il portait avec une négligence sans doute voulue un blue-jean délavé, une vieille chemise de coton et

des souliers de tennis très sales. Une grande
mèche couleur sable lui tombait sur le front.
Il écoutait la conversation des autres en souriant
d'un air dédaigneux. Apparemment, il tuait
le temps...

Le garçon mexicain s'arrêta à leur table, dit
quelques mots à voix basse et s'éloigna. Quatre
têtes se tournèrent vers Joe. L'homme blond
ne lui donna pas un regard. En revanche, il se
leva et alla au bar où il commanda un nouveau
café. Quelques minutes plus tard, il se dirigea
vers la table de Joe, tenant sa tasse à la
main.

« Est-ce que je peux m'asseoir ? dit-il.

— Certainement », dit Joe qui se leva et
approcha une chaise.

L'homme lui tendit la main et dit : « Perry.

— Quoi ?

— Mon nom est Perry. PERRY.

— Ah ! oui, oui.

— Voulez-vous une cigarette ?

— Avec plaisir. »

L'étranger avait un curieux regard. Ses yeux
étaient à la fois moqueurs et d'une tristesse

morbide. Si un homme mort dans la fleur de
l'âge revenait sur terre, ce serait avec des yeux
comme ceux-là qu'il assisterait à ses funé-
railles.

Joe ne savait pas quelle contenance prendre.
Il fit un geste vague. Perry sourit et détourna la
tête. Il se mit à contempler la rue à travers la
porte-fenêtre du café. Il s'était adossé au dossier
de sa chaise et avait allongé ses pieds. Il paraissait très détendu.

Joe se dit qu'il avait beaucoup de chance.
C'était la première fois depuis le régiment qu'il
était attablé avec quelqu'un. Comme il aurait
voulu que la situation se prolongeât ! Seulement, il ne savait pas ce que l'autre attendait
de lui. Devait-il parler ou se taire ? Si ce Perry
ne recherchait qu'une solitude partagée, il ne
fallait pas lui gâcher son plaisir.

Joe éprouvait une admiration de plus en
plus grande pour l'homme assis en face de lui.
Si quelque sorcier capable de faire de vous un
autre lui avait proposé d'échanger son identité
avec celle de ce personnage aux cheveux blonds,
il aurait accepté sur-le-champ.

Certains êtres dégagent un charme. Ils

entrent quelque part et chacun cherche à leur plaire. Peu importe qu'ils soient beaux ou laids. Ils sont marqués par un signe qui n'est autre que celui de la mort et le charme qui émane d'eux vient de ce que personne ne peut douter qu'ils connaissent leur destin et qu'ils l'acceptent de bonne grâce.

A la fois ravi et ému, Joe ne parlait ni ne bougeait. Bientôt les quatre garçons avec lesquels Perry se trouvait tout à l'heure se levèrent et se dirigèrent vers la porte. Un grand rouquin qui paraissait être leur chef passa le premier devant la table de Perry et de Joe. Il dit : « Bonsoir, Perry chéri » et passa son chemin. Le second et le troisième s'esclaffèrent et le quatrième, un petit gros avec le nez en trompette, dit : « Bonne chance. » Joe les regarda quitter l'établissement, Perry ne s'en donna pas la peine. Il leva les yeux sur Joe, mais celui-ci ne put rien y lire.

Cette nuit-là vit le début d'une amitié qui allait durer plusieurs semaines. Vers minuit et demi, quand Joe avait fini son travail, Perry apparaissait, venu d'on ne savait où, et s'asseyait à côté de lui. Certains soirs, ils n'échangeaient

pas une parole, se contentant de fixer la rue
où passaient des piétons attardés et de temps
en temps une voiture. Leurs regards se croi-
saient rarement. Quelqu'un d'étranger à l'établissement aurait pu croire qu'ils ne se connais-
saient pas.

Joe ne savait jamais quand Perry allait lui
faire un petit signe de la main et s'en aller.
C'était parfois au bout de dix minutes, parfois
au bout de deux ou trois heures. Il se levait
comme mû par un ressort, franchissait la porte
vitrée et disparaissait dans la nuit.

Joe en était arrivé à penser que Perry était
le dépositaire d'un secret. Le lui dévoilerait-il
un jour ? Lui permettrait-il de partager ses
activités mystérieuses ? Joe se disait que cela
changerait sa vie. Finies les nuits solitaires à
l'hôtel, finies les heures passées à laver la vaisselle dans la cuisine du « Soleil ». Perry le regar-
derait de son œil charmeur, ferait un geste,
un simple geste et leur amitié entrerait dans
une nouvelle phase. Ou bien elle cesserait complètement.

Joe aurait été bien incapable d'exprimer ce
qu'il pensait. Ses idées étaient pleines d'in-

cohérence. Mais il avait le pressentiment que cet homme jouerait un rôle dans sa vie. Quel rôle ? A lui de le lui faire savoir en temps voulu.

Une nuit, Perry lui dit de but en blanc : « A quoi penses-tu ? »

Joe hocha la tête et dit : « Je ne pense à rien. J'attends. »

Quand Perry posait une question de ce genre — c'était rare — sa voix avait l'air de venir de l'autre monde. Un matin, tandis que l'aube pointait, il dit : « Te sens-tu d'attaque ? »

Joe n'eut pas le temps de répondre. Déjà l'autre prenait la porte. Le lendemain — il était beaucoup moins tard, environ une heure du matin — il regarda Joe longuement, comme s'il le voyait pour la première fois. Joe comprit que le moment était venu. Qu'est-ce que son nouvel ami allait lui demander ? Il lui jeta un regard plein d'angoisse. Une lueur de malice passa dans les yeux de Perry. Elle s'éteignit presque aussitôt. Son anxiété morbide avait repris le dessus. Il tourna la tête et se remit à contempler la rue.

A ce moment la porte s'ouvrit, comme poussée

par une main invisible. Un petit homme portant une veste de tweed marron et une cravate verte entra dans le bar. Il se dirigea vers la table de Perry et de Joe.

VI

Le nouveau venu paraissait âgé d'une tren-
taine d'années. Il avait peu de cheveux, un
front très large et des yeux globuleux. Il portait des lunettes aux verres très épais. On aurait
dit un jeune savant un peu fou comme on en
voyait dans les films au temps du muet. Il
s'arrêta devant la table où étaient assis les deux
amis et dit : « Perry. »

L'autre fit comme s'il n'avait pas entendu.

« Perry, sais-tu l'heure qu'il est ? »

Il avait une voix douce, un peu mielleuse.
Il répéta deux fois sa question. Ne recevant pas
de réponse, il décida de changer de tactique.
Il s'assit à la table et croisa les bras comme quelqu'un qui a beaucoup de temps devant lui.

Au bout de quelques minutes, Perry dit :
« Joe, est-ce que tu veux un café ? » Il ajouta

presque aussitôt : « Deux tasses de café, Marvin. »

Le jeune savant baissa la tête. Il y avait dans son attitude quelque chose de servile.

« Tu m'as entendu, Marvin ? Deux cafés, un noir, et un avec de la crème. »

Perry avait parlé sans regarder le nouveau venu. Celui-ci poussa un soupir, se leva et se dirigea vers le comptoir.

« Ce gars-là doit être un de tes bons copains, dit Joe.

— Tu te trompes, petit ! »

Marvin revint et posa les deux tasses de café devant Perry. Joe se demanda si c'était volontairement qu'il ne tenait aucun compte de lui. Perry dit : « Sers mon ami, Marvin. » Marvin poussa vers Joe une des tasses.

« Merci beaucoup », dit Joe.

Il sourit en regardant le grand front dénudé. L'idée lui était venue d'y faire un petit dessin.

L'homme s'assit sans dire un mot.

« Mon ami te remercie, Marvin.

— C'est un plaisir, monsieur.

— Il s'appelle Joe, Marvin. »

La voix de Perry paraissait sortir du brouillard.

« C'est un plaisir, Joe. »

Il y eut un assez long silence. Tout à coup, Perry dit : « Marvin.

— Quoi ? »

Perry allongea sa main dans la direction du veston de tweed. Comme le ton de sa voix tout à l'heure, son regard était lointain. On aurait dit qu'il ne voulait pas le fixer sur quelqu'un ou sur quelque chose qui n'en valait pas la peine.

« Marvin, dit-il, montre-moi ton portefeuille.

— Oh ! Perry, je t'en prie.

— Quand je parle, j'entends être obéi, dépêche-toi. »

Marvin tendit son portefeuille à Perry. Celui-ci compta l'argent qui s'y trouvait. Quatre dollars.

« Combien as-tu dans ta poche ?

— Quelle poche ?

— Celle-là », dit Perry sans tourner la tête.

Marvin lui remit une liasse de billets.

« Combien ? demanda Perry négligemment.

— Soixante-dix dollars », dit l'autre en soupirant.

Perry lui rendit son portefeuille. « Voici ta part, Marvin, je garde la mienne. » Il lui tendit les quatre dollars du portefeuille et empocha les soixante-dix. « Maintenant, donne-moi les clefs de la voiture.

— Ah ! Perry, non ! Je refuse.

— Quoi ? Je crois avoir mal entendu. Qu'est-ce que tu viens de dire ? Répète-le.

— Comment vais-je rentrer chez moi ?

— A pied.

— Oh ! Perry, comme tu me traites ! Est-ce pour impressionner ton ami ?

— Marvin, j'avais l'intention de venir chez toi demain après-midi, mais tu es si désagréable ce soir que je vais probablement changer d'avis.

— A quelle heure viendras-tu, Perry ? Au début de l'après-midi ou vers le soir ?

— Les clefs de la voiture, s'il te plaît.

— Je vais te les donner. Mais dis-moi à quelle heure tu viendras.

— Je n'aime pas le chantage.

— Je ne fais pas de chantage, Perry. Je te le jure. »

Il essayait de sourire, mais il n'arrivait pas à décontracter ses traits.

Joe avait enfin trouvé le dessin qu'il ferait sur le grand front : une figure de femme-enfant avec de faux cils.

Marvin sortit les clefs de sa poche et les posa sur la table. « A quelle heure ?

— Merci, Marvin. Merci pour les clefs et pour tes autres bontés. Tu sais que j'ai de l'amitié pour toi, bien que je la manifeste rarement. Viens, Joe. »

Joe se leva lentement. Il était déconcerté par ce qu'il venait de voir et d'entendre. Il avait le sentiment que si Marvin consentait à montrer ses yeux, ne serait-ce qu'une seconde, tout s'éclaircirait. Malheureusement, les énormes lunettes semblaient faire partie intégrante de son visage.

Les deux autres s'étaient aussi levés. Marvin posa sa main sur l'épaule de Perry.

« Retire cette main, dit celui-ci sans le regarder. Rassieds-toi. »

Cet ordre fut exécuté sur-le-champ.

« A quelle heure, s'il te plaît ? Vers cinq heures ou plus tard ? »

Perry posa pour la première fois son regard sur le petit homme. Dans ses yeux, il y avait du mépris et aussi une certaine tendresse. « A la fin de l'après-midi, dit-il. Maintenant ne bouge pas d'ici jusqu'à ce que nous soyons loin. Compris ? » Son ton était impératif.

« Tu sais que je t'obéis toujours, Perry. »

Perry et Joe se dirigèrent vers la porte. Une fois dans la rue, Joe jeta un regard derrière lui. Le petit savant, conformément à l'ordre qu'il avait reçu, était assis à la table, aussi immobile qu'une statue. Les lentilles de ses lunettes dans lesquelles jouaient les lumières du café semblaient deux projecteurs destinés à éclairer le trottoir.

VII

Dans le parc à voitures, Perry était adossé au pare-chocs d'une M.G. blanche. Devant lui, Joe, les pouces enfoncés dans les poches de derrière de son pantalon, souriait timidement. Il se demandait ce qui allait lui arriver. La nuit était froide, les étoiles paraissaient plus nombreuses et plus brillantes que d'habitude. Autant de mondes inconnus dont chacun posait un point d'interrogation. Sans raison, Joe éclata de rire. Perry le regarda avec tendresse, comme on regarde un petit enfant. « Joe », commença-t-il. Il disait souvent « Joe », sachant que le nom que l'on possède est le mot le plus sacré du langage, le plus doux à notre oreille et à notre cœur. « Joe, je me demande pourquoi tu ris. »

Joe hocha la tête. « Tout ça me dépasse », dit-il. Il continua à rire pour se donner une contenance. Il se sentait ridicule.

« Tu as besoin de mettre les choses au point, mon gars.

— Ça oui. »

Joe avait cessé de rire.

« Tu ne sais pas de quoi je parle.

— Je ne le sais pas très bien, Perry.

— Moi, je te dis que tu ne le sais pas du tout. Tu ignores beaucoup de choses, Joe. C'est très bien ainsi. Autrement, tu n'aurais rien à apprendre. Et tu as envie d'apprendre, n'est-ce pas ?

— Oh, oui ! »

Joe pinça les lèvres. Il avait peur que son rire ne le reprît.

« Est-ce que tu as confiance en moi ? demanda Perry après un silence.

— Très confiance, dit Joe, très confiance bien sûr, mais je suis nouveau dans la ville, je viens de... »

Comme toujours, il bafouillait.

« Tu n'as pas besoin de me dire d'où tu viens. Tu es ici, à Houston, ça suffit.

— Je suis où ? Ah ! oui, à Houston ! Qu'est-ce que je disais ? »

Ce n'était pas le genre de conversations qu'il avait au régiment. Là-bas, quand on ne trouvait pas un mot, on s'en tirait avec un juron. Avec Perry, ce n'était pas aussi facile.

« Je vais t'aider, Joe. Mais il faut que tu te détendes et il faut que tu me croies. As-tu une chambre quelque part ?

— J'ai une chambre dans un hôtel.

— Quel hôtel ?

— Il manque un O à l'enseigne.

— Est-ce que c'est loin ? On peut y aller à pied ?

— Ce n'est pas tout près.

— Alors en voiture ! »

Perry rangea la M.G. devant le trottoir. Les deux hommes passèrent devant le petit bureau de la réception, montèrent l'escalier et pénétrèrent dans la chambre de Joe.

Perry s'assit sur le bord du lit.

« Je ne vois pas de radio, Joe.

— Je n'ai pas de radio, mais j'en aurai une bientôt.

— Mets-toi à l'aise, mon garçon. Tu es chez

toi, non ? Et avec un ami. Je te sens tout crispé. »

Joe s'assit sur une chaise. Il dit : « C'est vrai que c'est très agréable d'avoir la radio. Je vais faire des économies pour m'en payer une.

— Bonne idée.

— Ce que je veux c'est un transistor d'une certaine puissance, pas un de ces petits appareils pour gosses. Tu comprends ce que je veux dire ?

— Parfaitement. Tu veux une vraie radio. Tu ne veux pas un jouet. »

Perry roulait une drôle de petite cigarette très mince. Il la mit dans sa bouche, l'alluma et en tira quelques bouffées. Puis il la tendit à Joe. Celui-ci chercha à l'imiter, mais il manquait d'expérience. Il exhalait la fumée trop vite. « Tu ne sais pas y faire, dit Perry. Je vais te montrer. » Il reprit la cigarette et la tint entre ses doigts. « Tu vois, Joe, ce n'est pas une cigarette comme les autres. Elle est faite de fleurs et de feuilles séchées provenant d'une plante dont le nom en botanique est *Cannabis sativa*. On peut la comparer au transistor que tu auras bientôt. Ou plutôt c'est toi et moi qui sommes le transistor, la *Cannabis sativa* c'est le jus, la puissance. »

Il mit la cigarette entre ses lèvres et aspira profondément. Il faisait de petites contorsions avec sa bouche pour montrer à Joe comment l'on doit s'y prendre.

Les deux hommes se partagèrent la cigarette puis en allumèrent chacun une autre. Au bout d'une demi-heure environ, Joe se leva et alla ouvrir la fenêtre. Perry lui cria : « Ferme cette fenêtre ! »

Les quelques pas que Joe avait faits dans la pièce lui avaient permis de constater combien il était léger. « Ça aide, dit-il. Ça aide bien. »

Perry avait déchiqueté leurs mégots et les avaient jetés dans l'évier. « On ne doit laisser aucune trace de ces cigarettes, expliqua-t-il.

— Est-ce qu'il y a du haschich dedans par hasard ? demanda Joe.

— Oui.

— Ça alors ! Tu fais tes coups en douce, vieux. »

Il était ravi. Jamais il ne s'était senti aussi
à l'aise dans sa peau.

Perry s'était étendu sur le lit, les jambes
croisées à la hauteur des chevilles.

« Te sens-tu bien, Joe ?

— Très bien. »

Mais depuis quelques instants, il ne se sentait
pas si bien que cela. On aurait dit qu'une bête
gluante s'était glissée dans la pièce et il était
incapable de faire un geste pour la chasser.

« Joe, est-ce que tu as envie de quelque
chose ?

— Non, ça va.

— Ça ne va pas. Je le vois. Tu as besoin
d'être aidé.

— Tu crois ?

— J'en suis sûr. Et c'est pour t'aider que je
suis venu ici. Pour te montrer ce dont tu as
besoin et te permettre de l'obtenir. »

Joe éprouvait une étrange sensation. Sa poitrine s'était remplie d'air, elle était prête à
éclater. Il posa sa main sur son cœur, il battait
la breloque. Ne parvenant pas à se libérer de
son angoisse, il sortit des allumettes d'une boîte
et se mit à jouer avec. Ces allumettes, c'était

quelque chose de réel, ce n'était pas comme la
bête tapie dans l'ombre...

Perry poursuivit : « Ça ne date pas d'hier.
La vie est un fardeau pour toi. En ce moment,
tu fronces les sourcils et tu occupes tes doigts
à n'importe quoi. »

Il regarda d'un œil moqueur les allumettes
que Joe tenait à la main.

« Est-ce que tu veux mettre le feu au
monde ? Tu fais beaucoup de gestes inutiles,
tu perds ton temps. Il faut que tu te détendes. Trouve ce dont tu as besoin et ne pense
à rien d'autre. Allons, qu'est-ce que tu dois
faire ?

— Trouver ce dont j'ai besoin.

— Très bien. Et puis ?

— Ne penser à rien d'autre.

— Tu deviens raisonnable, Joe. Maintenant
passons à la pratique. Exercice n° 1 : Y a-t-il dans
cette chambre une chose dont tu aies envie ?
Dis-le-moi. Je m'arrangerai pour que tu l'ob-
tiennes. »

Joe jeta un coup d'œil sur les murs et le
pauvre mobilier de la pièce. Perry dit : « Regarde-moi. Ça t'aidera peut-être. Et réponds

franchement. Y a-t-il autre chose dont tu aies envie ? »

Joe le regarda fixement mais ne put rien lire sur son visage.

Il y eut un silence puis Perry dit : « Tu sais, Joe. Il y a des gens qui donneraient beaucoup d'argent pour se trouver enfermés dans une chambre avec moi. »

Joe était étourdi par l'effort mental auquel il était soumis. Il était incapable de dire un mot.

Perry, confortablement étendu, paraissait perdu dans ses pensées. Tout à coup, sans que rien l'eût laissé prévoir, il vint se poster devant la chaise de Joe. Son mouvement pour sauter du lit avait été si brusque que Joe éprouva une sensation de panique. Il leva les yeux et fut surpris de constater que l'autre souriait avec bienveillance.

« Joe, dit-il, si nous devons être amis, il y a une chose... »

Joe comprit qu'il vivait un moment exceptionnel. Cet homme, jeune et beau, plein d'autorité et de séduction, s'intéressait à quelqu'un des plus insignifiants. Il s'apercevrait de l'erreur qu'il avait commise en faisant le choix d'un tel compagnon et leurs rapports prendraient fin. Joe aurait voulu trouver les mots qui eussent convaincu Perry de demeurer auprès de lui. Mais que dire à un homme si intelligent, si plein de malice ?

« ...et cette chose est importante. Pas de baratin. Pas de baratin, s'il te plaît. J'ai horreur des gens qui savent ce qu'ils veulent et qui ne font rien pour l'obtenir, qui n'osent pas donner un nom à leur désir. Quand je te dis « De quoi as-tu envie », je veux que tu me répondes sans détour. J'aime qu'on soit franc.

— Je le serai, Perry.

— Bien. Alors dis-moi ce dont tu as envie. »

Joe ne savait par où commencer. Ah ! ces mots qui ne venaient jamais quand il en avait besoin. Il était encore plus bête qu'il ne le pensait. « Je... je crois. » Il avait baissé les yeux comme si la chose qu'il désirait avait été cachée quelque part au-dessous de sa ceinture et qu'il n'eût pas la possibilité de l'en faire sortir.

« Accouche, dit Perry.

— Je ne peux pas. Je ne peux pas. »

Il n'est pas facile de dire la vérité, surtout

lorsqu'on éprouve une telle honte que l'on voudrait rentrer sous terre.

Il leva les yeux. Perry s'apprêtait-il à partir ? Non. Il regardait Joe très gentiment et avec peut-être plus d'attention encore.

« Dis-moi pourquoi tu ne peux pas.

— Difficile. Impossible. Je ne trouve pas les mots. Je suis un idiot. Je ne sais pas parler. Je ne sais pas penser. »

Il se mit à rire. Une idée laide, ignoble, inavouable s'était glissée dans son esprit et il espérait que s'il riait beaucoup et longtemps, elle disparaîtrait. Il eut une hallucination. Il vit le cimetière d'Houston. Il était devant la tombe de Sally, une tombe qui ne portait pas d'inscription. Il s'imagina en train de dessiner sur la neige un dessin le représentant, lui Joe Buck. Cela le calma. Il put de nouveau regarder Perry. A sa grande surprise, il entendit une voix, sa voix à lui, qui disait : « Ce que je vais faire ? Je vais continuer à laver des assiettes et...

— Et ?

— Je rentrerai dans cette chambre, je dormirai un brin et...

— Et ?

— Je mourrai. »

Il avait essayé de prendre un ton léger, mais son visage était grave.

Il ferma les yeux et il fut de nouveau dans le cimetière. A côté de la tombe de Sally, il y avait une pelle. Avec cette pelle, une femme ou plutôt l'ombre d'une femme creusait. Une bière était posée sur la terre humide et dans la bière se trouvait un jeune homme très beau. « Mon Dieu, se dit-il, est-ce là tout ce qui m'attend ? » Ce fut plus fort que lui, il éclata en sanglots.

Il était tombé de sa chaise, il se roulait sur le parquet de cette chambre d'hôtel, sa tête au niveau des souliers d'un inconnu. Il aurait voulu lui dire : « Va-t'en ! », mais il était incapable de proférer un son. Un poids lui écrasait la poitrine. Des couteaux s'enfonçaient dans son foie et dans son cœur. Il souffrait atrocement. Ces souliers sales étaient les souliers de qui ? Ah, oui ! c'étaient les souliers de cet homme qui attendait. Qu'est-ce qu'il attendait ?

Perry le prit par les épaules, le posa sur la chaise et s'assit sur ses genoux. Cela se fit si rapidement que Joe ne le réalisa pas tout de suite. Le geste brusque de Perry lui avait fait

retrouver un peu ses esprits. Il respira de nouveau librement. Il savait que son visage était
couvert de larmes, mais il n'en éprouvait pas
de honte. Ce n'était pas sa faute, c'était le
haschich.

Il entendit la voix douce et lointaine de
Perry — sa tête n'était pourtant qu'à quelques
centimètres de la sienne — : « Tu es mieux, Joe,
beaucoup mieux. Dis-moi ce que tu veux pour
que je puisse te le donner. »

Qu'est-ce que cet oiseau foutait sur ses genoux ? « Me donner ce que je veux ? Il se
prend pour le Père Noël. S'il me le demande
encore une fois, je lui dirai que je veux une
femme blonde avec laquelle je vivrai toujours.
Une blonde avec de longs cils, des genoux bien
rembourrés et de vrais seins, pas comme la
pauvre Sally, une blonde avec qui je regarderai
la télévision et qui me dira : « *Cow-boy, je
t'aime.* » Je lui répondrai : « *Pourquoi m'aimes-
« tu ? — Mon chéri, parce que tu es le cow-boy
« Joe Buck. Parce que tu fais l'amour comme
« personne. Parce que tu es beau et que tu
« n'es pas un gigolo. Ne t'inquiète de rien, Joe
« Buck. Regarde la télévision. Je vais aller te*

« *chercher une cuisse de poulet. Pendant que tu*
« *mangeras, je chanterai* La Nuit bleue. *On*
« *fera l'amour sur le parquet et après je chan-*
« *terai encore pour toi...* »

VIII

« C'est tout à fait normal, dit Perry. Le haschich donne faim. » Ils étaient assis au comptoir d'une des innombrables *cafeterias* de la ville. Perry fumait et buvait du café. Joe finissait son second *hamburger*.

« Tu en veux encore un ? »

Joe, la bouche pleine, fit « non » de la tête. Il se sentait heureux comme un enfant. Jamais il n'avait éprouvé autant d'affection pour quelqu'un.

« Qui est Sally ? demanda Perry.

— Sally ! Comment sais-tu... ?

— Tu as prononcé son nom plusieurs fois pendant ta crise de nerfs. Un vieux flirt ?

— Oui, un vieux flirt. »

C'était là une drôle de façon de répondre à

une personne qui exigeait de vous toute la vérité.

« Qu'est-ce que tu veux faire maintenant, Joe ? Il n'est pas tard. Seulement quatre heures.

— Ce que je veux faire ? Je n'en sais foutre rien. As-tu une idée ? Je ferai ce que tu voudras.

— Non, Joe. C'est *ta* soirée.

— Je n'ai envie de rien.

— Tu as sûrement envie de quelque chose. Tout le monde a envie de quelque chose.

— Eh bien, faisons comme au régiment. Allons au bordel.

— Tu as envie d'une fille ?

— Pas particulièrement. Je suis bien comme ça. »

Joe remua le sucre dans le fond de sa tasse de café. Il demeura silencieux quelques instants. Puis il leva la tête et il dit : « Tu en as envie, toi ?

— Il ne s'agit pas de moi, Joe. Tu veux t'envoyer une fille, n'est-ce pas ?

— Je n'en sais rien. Peut-être que si une putain venait me tirer par la manche je me laisserais faire. Pas toi ? »

Son regard s'était illuminé.

« Non, dit Perry.

— N'en parlons plus... à moins que ce ne soit tout près et pas du tout compliqué. »

Perry se leva.

« Viens », dit-il.

Il tendit un billet de cinq dollars à la caissière. Joe l'avait devancé avec un billet de dix. Il remit le billet de cinq dollars dans la poche de Perry. Celui-ci ne broncha pas.

Dans le parc à voitures, il y avait une cabine téléphonique. Perry y entra et ne poussa pas la porte. Joe, adossé à la cabine, l'entendit qui disait (plusieurs minutes s'étaient écoulées entre le moment où il avait composé son numéro et celui où son correspondant avait décroché le récepteur) : « C'est toi, Juanita ? Ici, Perry. Oui, Perry. Juanita, tu vas faire quelque chose pour moi. Ne parle pas si fort, tu me brises le tympan. Éloigne-toi de l'appareil. Dis-moi, Juanita, est-ce que Dolorès est là ? Non, je ne veux pas lui parler. Réveille-la. Je lui amène quelqu'un de sympathique, un jeune et beau garçon. Ne t'agite pas, Juanita. Ecoute-moi. Réveille-la. Qu'elle prenne un bain. Nous serons là dans une . demi-heure. »

Il raccrocha. Joe se balançait d'un pied sur l'autre, la bouche ouverte, incapable d'en croire ses oreilles. On aurait dit un enfant qui voit apparaître à ses côtés son ange gardien.

Pendant le trajet en voiture, Perry dit : « Tu as gâché ma soirée. » Joe sursauta : « Moi ? Qu'est-ce que j'ai fait ?

— Je vais te dire une chose, Joe. Un de mes plus grands plaisirs est de dépenser avec d'autres gens l'argent de Marvin. Et tu ne m'as pas laissé payer l'addition tout à l'heure. »

Joe, soulagé, éclata de rire.

« Ne ris pas. Je parle sérieusement. Ne le fais plus.

— Est-ce que ce Marvin est un parent à toi ou quelque chose comme ça ?

— Oh, non ! Il me paie. Je suis son employé.

— Je vois ce que c'est. Il est ton patron. »

Au début, cela parut régler l'affaire, mais lorsqu'il se rappela le comportement des deux hommes, son embarras grandit.

« Ton patron, vrai ?

— Vrai. Je suis au service de Marvin. Ce que je fais pour lui n'a pas de prix. Je suis chargé de lui rappeler à quel point il est répugnant. Je suis rémunéré dans la mesure où j'y parviens. J'ai exercé un emploi analogue dans l'Est il y a quelques années. Je suis expert en la matière. Je sais ce que les gens veulent sans oser se l'avouer et je le leur offre sur un plateau. Donne-moi du feu, s'il te plaît. »

Il tendit à Joe une cigarette que celui-ci alluma et plaça entre les lèvres de son camarade.

Perry en tira quelques bouffées, l'ôta de ses lèvres et poursuivit : « J'ai constaté que les gens qui n'ont que les mots « tendresse » et « douceur » à la bouche ne souhaitent vraiment qu'une chose : avoir peur. Ils meurent d'envie d'être brutalisés, seulement ils sont trop lâches pour le reconnaître. Si vous les traitez d'une façon gentille ou simplement convenable, vous leur soulevez le cœur. Mais on doit être très prudent, procéder à de savants dosages, ne jamais prononcer le mot « peur ». Il faut leur donner une bonne gifle de temps en temps, pas trop souvent et, ensuite, leur laisser croire qu'ils ne l'ont pas reçue. Ne jamais aller trop loin. Un simple regard ponctué de quelques gnons. Le sang ne doit jamais couler.

« Je suis très content des résultats que j'ai

obtenus avec Marvin. Avant de me connaître, il était à la veille d'une dépression nerveuse. Peut-être parce qu'il avait trop bien réussi dans la vie. En quelques mois je l'ai réduit à l'état de larve. Ne t'a-t-il pas semblé heureux ? Je crains seulement que cet état d'euphorie ne dure pas. Un de ces jours, il va me demander de le mettre en pièces. Ce n'est pas dans mon contrat. D'ailleurs, je préfère procéder en souplesse. Les marteaux et les couteaux de cuisine, très peu pour moi. Et Marvin ne me paie pas assez pour que je me donne cette peine. Un jour, s'il a de la chance, quelqu'un perdra le contrôle de ses nerfs et le tuera sans que ça lui coûte un sou. Ça ne sera pas moi. Ce n'est pas mon boulot.

— Ton boulot, tu le connais, Perry. Tu n'es pas tombé de la dernière pluie. A propos, quel âge as-tu ?

— Vingt-neuf ans, mais j'ai l'impression d'en avoir cent.

— Moi, j'ai vingt-cinq ans et je n'ai encore rien foutu. Je ne sais rien de la vie. Par exemple je n'ai pas compris grand-chose à ce que tu viens de dire.

— Ça ne m'étonne pas. D'ailleurs, ce que j'aime en toi c'est ta virginité.

— Oh ! je ne suis pas vierge ! Je parle peu, mais je baise beaucoup.

— Ce n'est pas de cette virginité-là que je parle.

— Explique-toi, nom de Dieu. »

Perry lui lança un si long regard que Joe prit peur. La voiture allait peut-être faire une embardée. L'autre reporta ses yeux sur la route, des yeux qui semblaient d'ailleurs voir autre chose que la route. Il dit dans un souffle : « Tu apprendras, Joe. Tu apprendras. »

Joe posa sa main sur l'épaule de son camarade.

« Perry, dit-il, tu es le meilleur copain que j'ai jamais eu. Ceux du régiment, ils ne comptaient pas. Tu te donnes tant de peine pour un gars que tu connais à peine. Et tu me dis Joe par-ci, Joe par-là. Ah !

— Merci, Joe, mais ferme-la, s'il te plaît. »

Joe retira lentement sa main.

« Tu trouves que j'ai trop parlé ?

— Non, non. Seulement, ferme-la.

— D'accord, dit Joe. Je ferai toujours ce que tu voudras. »

IX

La voiture de sport quitta la grand-route et s'engagea dans un chemin vicinal qui menait à Neuville, petite agglomération du Texas, composée de baraques en bois et de quelques fabriques et entrepôts plus sordides les uns que les autres. Dans un terrain vague se dressait, solitaire, une maison démontable. On aurait dit un jouet délaissé par un enfant géant, qui reviendrait le briser d'un coup de pied.

Perry, suivi de Joe, gravit les cinq ou six marches d'un porche qu'éclairait une lanterne. Tombaby Barefoot apparut. C'était un grand métis au teint pâle, presque chauve. Ses mouvements étaient disgracieux au possible. Il avait une toute petite tête et des épaules pour ainsi dire inexistantes; en revanche son bassin et ses jambes étaient énormes. Il portait un sweatshirt

gris sur lequel était écrit HARVARD, un blue-jean
déteint et des boucles d'oreilles en or.

« Salut, Perry », dit-il. Sa voix était placée
très haut.

Quelqu'un à l'intérieur de la maison hurla :
« Éteins les lanternes, princesse. »

Tombaby sourit. « Mère veut que vous vous
cassiez la gueule. Elle est charmante, vraiment. »

Il serra la main de Perry, puis celle de Joe.

Perry dit : « Joe, je te présente Tombaby
Barefoot.

— Enchanté, dit le métis.

— Salut, Tombaby », dit Joe.

Les deux amis traversèrent le hall. L'homme
qui les précédait fléchissait tellement sur les
genoux qu'on aurait pu croire qu'il allait
s'écrouler comme une vache et ne plus former
qu'un amas de coudes et de cuisses sur le sol.
Lorsqu'ils furent parvenus au salon, Tombaby
Barefoot dit : « Je vous souhaite la bienvenue
dans l'antre de la vieille. » La pièce était remplie de très grands meubles de style moderne —
ou du moins du style qu'on qualifiait de
moderne en 1930. Sur le dessus de la cheminée,

des deux côtés d'un vase de cristal dans lequel était roulé le drapeau américain, il y avait les photographies encadrées et autographiées de gens sans doute célèbres mais difficilement reconnaissables. Aux murs peints en rose étaient accrochées des gravures représentant des poitrines, des postérieurs et des mains : fragments de l'œuvre de Michel-Ange à la chapelle Sixtine.

Au fond du salon, sur un divan capitonné, était allongée, en kimono de satin écarlate, une fée Carabosse sans âge : ses yeux — des yeux immenses d'un bleu très pâle, bordés de rouge avec des cernes noirs — ne semblaient pas appartenir à la petite femme qu'elle était. Ils étaient perçants comme ceux d'un oiseau de nuit.

« Perry ! s'écria-t-elle, d'une voix d'homme tout à fait inattendue.

— Bonsoir, Juanita, dit Perry.

— Bonsoir, imbécile. » Elle se tourna vers Joe. « Bonsoir, mon gars. »

Tandis que Joe était présenté à cette femme dont le nom était Juanita Collins Harmeyer Barefoot, son fils se laissait tomber dans un fauteuil à bascule comme un polichinelle qui se disloque.

« Debout, princesse ! hurla Juanita. On a soif. Du bourbon pour tout le monde ! »

Tombaby se leva avec une prestesse que l'on n'aurait pas attendue de lui.

« Je vais en chercher, mère », dit-il.

Il se dirigea vers la salle à manger. Joe le vit passer devant un objet extraordinaire posé contre le mur : une girafe empaillée de plus de deux mètres de haut. Un déclic se produisit dans son esprit : Tombaby avait enfourché la girafe et partait au galop. Pour où ? Il n'aurait su le dire. En tout cas pour très loin, bien au-delà de la salle à manger et du village de Neuville. L'homme et sa monture avaient déjà dépassé la frontière du Texas quand le drame se produisit. La girafe s'écroula sous le poids de Tombaby dans un enchevêtrement de chair et d'os.

Alors que Joe, les yeux agrandis par la peur, contemplait le spectacle, la victime de l'accident était tranquillement assise devant une table à cocktails recouverte d'une glace. Perry était à ses côtés, Juanita leur faisait face. La

femme dit à Perry : « J'ai eu une drôle d'histoire à cause de toi tout à l'heure. »

Perry sourit. « Il t'arrive des choses comme
à personne.

— Regarde. » Elle lui tendit sa main, une
main aux doigts jaunis par le tabac et aux
ongles rongés jusqu'à l'os. Sur le dos de la
main il y avait des égratignures toutes fraîches.
« Elle m'a fait ça quand je l'ai réveillée, la
sale bête. » Juanita se tourna vers Joe : « Est-
ce que tu aimes les animaux de la jungle, fils ? »

Joe fit une grimace. Pendant qu'elle lui
posait cette question, il imaginait un être,
moitié femme, moitié tigre, arpentant sa cage.
Il ne voulait pas de cela. Ce qu'il voulait,
c'était quelque chose de moelleux, plein de
rondeurs dans lesquelles il pourrait enfouir
sa tête.

« Parce que c'est ça que tu vas avoir », dit
Juanita. Elle continuait à regarder sa main.
« Est-ce que tu crois que ça va s'infecter ?
demanda-t-elle à Perry. La semaine dernière
cette saleté m'a mordue. J'ai saigné. »

Tombaby Barefoot revint avec une bouteille de whisky. Il remplit les verres de Perry

et de Joe et retourna à son fauteuil à bascule.

« Princesse ! » hurla Juanita.

Tombaby joua la surprise. « Oh ! excuse-moi, mère, je t'avais oubliée. » Il posa un verre sur la table qui se trouvait devant le divan. Elle s'en saisit fébrilement. « Fils ! de la musique. Est-ce que c'est un bordel ici ou la morgue ?

— On se le demande, dit Perry. Si c'est toi la principale attraction, je serais porté à croire que c'est un peu les deux. »

Tombaby quitta la pièce.

Juanita dit à Joe : « Il y a une chose que ceux qui viennent ici pour la première fois doivent savoir. Ce gros plein de soupe avec un cure-dents en guise de ce que tu penses et des couilles comme des boules de gomme, ce n'est pas mon fils. Je le dois à l'erreur d'une infirmière de nuit de l'hôpital général Jones de Shreveport. Elle a pris mon gosse et en a mis un autre à la place. Tu crois que je blague. C'est la pure vérité. Le mien avait des cheveux noirs comme de l'encre quand je l'ai pondu. J'étais réveillée et je ne suis pas folle. D'ailleurs, de quelle couleur pouvaient être les cheveux du fils de Darlington Barefoot, le beau et brave Peau-Rouge ? Roses ? Et qu'est-ce qu'on m'a apporté le lendemain matin pour que je lui donne le sein ? *Ça*. Depuis ce jour-là je suis à sec... Vois plutôt. » Elle écarta le devant de son kimono écarlate. Deux seins flétris apparurent. « Crois-moi si tu veux, jamais plus une goutte de lait n'est sortie de ces malheureux.

— Tout ça, dit Tombaby — il se trouvait dans la salle à manger où Perry et Joe étaient venus le rejoindre et il avait mis un disque de jazz — c'est un prétexte pour montrer ses vieux nichons. Si elle attend qu'on le lui demande...

— Je t'entends ! je t'entends ! glapit Juanita de la pièce voisine. Ce n'est pas la première fois que tu m'insultes.

— Mère, tu m'as mal compris. C'est à cause de la musique. Je disais seulement que tu vas bientôt leur montrer ton vagin.

— Qu'est-ce qu'il dit ? »

Perry et Joe étaient revenus au salon. « Perry, fais-moi le plaisir de me répéter ce que cet individu a dit.

— Pas grand-chose, Juanita. Il a dit qu'il espérait que Dolorès serait bientôt prête.

— Je ne te crois pas. Joe, mon gars, je reprends mon histoire. Quand mon cher Darlington Barefoot l'a vu et l'a *senti* — car il a pué dès la première minute — il a foutu le camp. Je ne peux pas le lui reprocher. Un fils pareil ! Merde alors ! »

Tombaby dit : « Une fois le « cher » Darlington parti, mère ne trouva pas difficile de gagner sa vie. Elle a toujours eu la cuisse légère. A condition, ajouta-t-il, de s'adresser à des types ayant bu ou ne voyant pas très clair. »

Le verre rempli de bourbon alla s'écraser à deux pas du fauteuil à bascule. « Je vais t'en chercher un autre, mère. Je suis sûr que tu as soif. »

« Tu veux savoir pourquoi je le supporte ? dit Juanita à Joe. Parce que je l'aime comme s'il était mon fils. Je sais que je suis idiote, mais je ne peux pas faire autrement.

— Moi aussi, je t'aime, dit Tombaby, comme j'aime les gendarmes, les soldats, les marins, tous les types bien poilus qui portent l'uniforme. »

A ce moment, on entendit une porte claquer à l'autre bout de la maison.

« Dolorès vient de sonner, dit le métis à sa mère.

— Mets-lui un tison sous les fesses, comme à un âne qui ne veut pas avancer et rappelle-lui que j'ai dit : « *Ahora mismo.* »

Quand Tombaby eut quitté la pièce, Juanita dit à Perry : « Le pauvre garçon, qu'est-ce qu'il va devenir ? Je me fais une bile terrible. Chaque fois qu'il va à La Nouvelle-Orléans, à Dallas ou ailleurs pour essayer de gagner sa croûte, un policier le renvoie dare-dare à sa mama. Ça me serre le cœur. Est-ce que tu trouves que je suis trop bonne ? Il a passé trois mois à Pensacola. Je pensais que j'étais débarrassée de lui. Il est revenu la semaine dernière, la queue entre les jambes. Impossible de savoir ce qui s'est passé là-bas. Muet comme une carpe, le gars. Il est laid, c'est une tante, il ressemble à Donald Duck. Personne ne peut le voir en peinture — excepté moi. Qu'est-ce que je dois faire ? Je l'ai envoyé comme apprenti chez un coiffeur de dames. On l'a foutu à la porte au bout de trois jours.

Quel mal je me suis donné pour lui et quand je pense que ce n'est pas le mien ! Tout vient de son sang mêlé. Les sang-mêlé ça ne vaut rien. »

Elle sortit un mouchoir de sa poche, s'essuya les yeux et se moucha bruyamment. « Ah ! je sais qu'on ne doit pas pleurer pendant les heures de travail, mais je suis sentimentale, moi ! Ceux à qui ça ne plaît pas n'ont qu'à s'en aller. Je ne les retiens pas. »

Juanita but une gorgée de whisky dans le verre de Tombaby. Elle ferma les yeux et, telle la prêtresse de quelque culte obscur, respira profondément. Elle toucha différentes parties de son corps : sa tête, sa gorge, sa poitrine, son ventre et dit : « Mal ici, mal là, mal là, mal partout. Tout le monde s'en fout, moi aussi d'ailleurs. La douleur ne me touche pas. La douleur c'est pour les autres. »

Tombaby Barefoot rentra dans le salon en faisant des sortes de mines. Une fois installé dans le fauteuil à bascule il dit : « Dolorès voulait savoir l'âge du señor. Je lui ai dit : « A peu près soixante-treize ans. » Elle est en train de pleurer. »

Juanita lui fit répéter sa phrase jusqu'à ce qu'elle ait pénétré dans son cerveau engourdi par l'alcool. Puis, elle décroisa ses jambes et se leva. Joe eut le temps de jeter un coup d'œil à ses genoux. Ils ressemblaient à ceux de sa grand-mère. En moins noueux.

Juanita dit à Joe : « J'emmène Perry dans la cuisine pour lui dire quelque chose en particulier. »

Joe sourit. Sur son visage, il n'y avait aucune trace d'étonnement. Une cuisine de bordel n'est-ce pas un endroit idéal pour échanger des secrets ?

En passant devant la chaise où il était assis, Juanita posa sur lui son regard : « Tu es très beau, fils. Si j'en avais un comme toi, je l'emmènerais à l'Est. A New York, il n'y a que des tantes et des femmes qui meurent d'envie de faire l'amour. Avec un étalon comme toi dans mon écurie, je ferais fortune. »

Derrière la porte, elle ajouta : « Et regarde ce que j'ai ! » Son doigt était pointé dans la direction de Tombaby Barefoot.

Elle se dirigea vers l'arrière de la maison, suivie de Perry.

« Quelle femme atroce, pensa Joe. Egoïste, méchante, dangereuse certainement. » Et Tombaby ne valait pas mieux qu'elle. Cette maison était un nœud de vipères. Pourtant, il ne demandait qu'à en pénétrer le mystère. Il n'avait pas peur. Il n'était pas seul, son ami Perry était là.

Il sentit que des yeux étaient fixés sur lui. Il leva la tête. Tombaby le regardait, un sourire humide sur les lèvres. Ils demeurèrent silencieux jusqu'au moment où Juanita apparut dans l'embrasure de la porte. Elle fit un signe de la main à Joe : « Viens, fils, nous avons quelque chose pour toi. »

X

Juanita entraîna Joe dans un couloir obscur.
Au bout de quelques mètres, elle frappa à une
porte. « Dolorès, c'est nous ! » Elle se tourna
vers Joe : « Vas-y, fils, amuse-toi bien. » Elle
tourna la clef dans la serrure et poussa le jeune
homme dans une petite pièce.

Dans un coin de cette pièce se tenait une
fille brune en longue robe blanche qui ne
devait pas avoir plus de dix sept ans. Elle jeta
à Joe un regard qui était à la fois craintif et
hostile. Joe ferma la porte et fit un pas en avant.
La fille se raidit à son approche. Il dit :
« Qu'est-ce qu'il y a, mademoiselle ? » Elle
ne répondit pas. Il décida de s'en aller. Il avait
déjà la main sur la poignée de la porte quand
elle cria : « Non ! »

Il se retourna. La fille le regarda attentivement et son visage changea d'expression. Ce qu'on y lisait maintenant ce n'était plus de l'hostilité mais de la résignation. Elle commença à déboutonner sa robe. Quelques instants plus tard, elle se dirigea vers le lit. Devant ce comportement modeste et triste, Joe eut le sentiment qu'il allait voler quelque chose. Elle s'étendit à plat sur le lit et détourna la tête. Il chercha à ne pas la regarder, mais il n'était pas tout à fait maître de l'endroit où il posait ses yeux. Ils s'arrêtèrent un instant sur un corps olivâtre, aux charmantes rondeurs dont deux se terminaient par de petites pointes roses et la troisième par une douce et mystérieuse touffe noire.

« Mademoiselle... »

Il aurait voulu dire quelque chose à cette fille, quelque chose de très important et de très profond. Lui dire par exemple que faire l'amour était pour lui une façon de manifester sa virilité, mais qu'il n'y attachait pas une importance particulière, qu'il considérait même parfois que c'était du bien perdu. Comme d'habitude, il cherchait ses mots. Aucun de ceux qui lui venaient à l'esprit ne le contentait.

Jamais ses pensées n'avaient été à ce point confuses : « Je veux, je voudrais, je veux... » La fille dit : « Pas parler. Moi pas comprendre. »

Il ramassa la robe qui se trouvait au pied du lit et la posa sur le corps nu. Elle le regarda, surprise. Il hocha la tête pour essayer de lui faire partager sa perplexité, mais c'était sans doute demander l'impossible. Elle devait simplement penser qu'il se moquait d'elle.

Il lui offrit une cigarette. Elle la refusa. Il en alluma une pour lui.

La fille s'assit sur le lit, le regarda de nouveau. « Ici », dit-elle en désignant la place à ses côtés. Joe obéit. Elle retira la cigarette qu'il tenait à la bouche et l'écrasa sur le marbre de la table de chevet.

Elle se saisit des mains de Joe et embrassa chacun de ses doigts. Il lui rendit la politesse.

Pendant un long moment, ils se regardèrent avec une sorte de tendresse. Cette petite n'était pas insensible comme il l'avait cru. Il vit des larmes tomber de ses paupières. Sans doute avait-elle aussi des choses à dire, des choses qu'elle ne dirait pas à Joe Buck et peut-être jamais à personne. Il passa la langue sur ses

joues. Les larmes avaient un goût de sel. Il
sourit de toutes ses dents. La fille rit et commença à lui retirer ses vêtements.

Maintenant, ils étaient nus tous les deux
sur le lit, s'enlaçant, se caressant, faisant la
connaissance de leurs corps. Elle lui disait des
mots d'amour qui lui allaient au cœur bien
qu'il ne les comprît pas. Leurs souffles étaient
mêlés. Tout à l'heure il lui ferait un don, un
don qui serait aussi complet et aussi magni-
fique que possible. Déjà, il se mouvait en elle...

Il se retire, et si brusquement qu'elle pousse
un cri de douleur. Il a entendu un bruit de
l'autre côté de la cloison. Il bondit vers ce
qu'il croit être le cabinet de toilette. La porte
est entrebâillée. Une main la pousse de l'intérieur. Elle s'ouvre toute grande. A côté, ce
n'est pas un cabinet de toilette, mais une autre
chambre. Perry est assis sur un tabouret. Juanita et Tombaby sont debout derrière lui. Perry
a un large sourire. « Continue, Joe, ne te gêne
pas pour nous. »

Déjà Perry est sur le parquet. Joe est à cali-
fourchon sur lui. Il le bourre de coups de poing.
L'autre n'offre pas la moindre résistance. Au

contraire, il continue à sourire. La fille hurle
et Juanita pousse des jurons en espagnol. Joe
s'arrête un instant de frapper. « Cesse de
sourire, Perry, s'il te plaît. » Perry s'y refuse.
Les coups se remettent à pleuvoir. La fille
tire Joe en arrière de toutes ses forces. Trois
paires de mains cherchent à l'empêcher de frapper l'homme couvert de sang étendu à ses pieds.
Joe essaie de se libérer et, tandis qu'il se
débat, il reçoit un terrible coup de poing dans
la poitrine. C'est Juanita qui le lui a donné.
Joe est tout étourdi. Il se traîne jusqu'au lit,
le souffle coupé. Des jambes — combien y en
a-t-il ? — forment un dôme au-dessus de sa
tête. Et voici que deux mains, deux mains mol-
les et humides, lui caressent le bas du dos et
les cuisses. Il a mal au cœur, mais il lui est
impossible de vomir. Une de ces mains se livre
à un étrange manège. Joe sort peu à peu
de sa torpeur. Il entend une voix — celle de
Juanita — qui dit : « Tu le voulais, Tombaby,
c'était ta seule façon de l'avoir. »

Quelqu'un le pousse d'une façon tellement
brutale que de nouveau tout s'embrouille dans
son esprit. La chambre n'est plus qu'un trou

noir, ou plutôt un puits. Ce puits est rempli
d'eau et seule sa tête émerge. Au-dessus de lui,
le métis et sa mère parlent, mais leurs voix
sont étouffées par tout ce liquide et il ne comprend pas ce qu'ils disent. Les deux autres
ont quitté la pièce. Bientôt Juanita les rejoint.
Joe Buck reste seul avec une grande masse jaune
qui bouche l'entrée du puits. Il ne voit rien.
Il respire à peine.

Il comprend que quelqu'un vient à son
secours. Deux mains se sont tendues vers lui.
Elles cherchent à le remonter à la surface en
se servant de son sexe comme levier. La pression exercée sur sa verge est très douloureuse.
Il n'en aide pas moins de tous ses muscles, de
tous ses nerfs, son sauveteur. Il a presque
atteint le haut du puits quand le jour se fait
dans son esprit. Il vient d'être soumis à une
épreuve, une épreuve terrible. Il éprouve une
grande lassitude. Quelque chose a crevé en
lui et sa substance vitale s'écoule d'une façon
qui — il le reconnaît à sa honte — n'est pas
désagréable.

Joe est sorti vainqueur du combat (il est
remonté du fond du puits et la masse jaune

n'est plus dans la pièce) mais son esprit n'est
pas en repos pour autant. Etendu au pied du
lit, il se dit et se redit : « C'est mon ami Perry,
mon grand ami Perry, qui m'a foutu dans le
trou. »

XI

« ME foutre dans un trou ! Si quelque salaud s'avise encore de faire ça, il trouvera à qui parler. »

Joe se regardait dans la glace. Son visage exprimait la fureur. Il avait des crampes de faim et une douleur cuisante à la nuque. Jamais il ne s'était senti si mal en point. Pourtant, ses idées étaient claires, une surtout qui avait récemment germé dans son esprit : une seule personne dans le monde entier s'intéressait véritablement à lui. « Cow-boy, dit-il à l'image que lui renvoyait le miroir, je vais m'occuper de toi, te chouchouter comme tu ne l'as jamais été. Tu n'es pas un homme fini. Tu as tout le temps que tu veux. Ce que tu dois d'abord faire, c'est quitter cette chambre. » Il y avait

dans son regard quelque chose de sauvage qui
lui plut.

Depuis deux jours, il entretenait sa colère
dans la solitude. Elle n'était pas dirigée contre
Perry (bien que ce fût lui qui l'eût provoquée),
mais contre tous les gens qu'il connaissait. Cette
colère était stimulante. Il y ferait appel
chaque fois qu'il aurait besoin de recharger
ses accumulateurs.

Pourquoi en voulait-il aux autres ? Tout simplement parce que personne ne se souciait de
lui, parce que personne ne s'était jamais sou-
cié de lui. Il était né citoyen américain et depuis
son enfance il ne coudoyait que des étrangers. Etait-ce une conspiration ? Même ceux
avec qui il avait fait l'amour, — surtout ceux-
là — avaient fui, une fois leur plaisir obtenu,
tout contact affectif avec lui.

Sa haine s'étendait à toutes les personnes
qu'il avait connues, ses anciens maîtres à l'école,
ses camarades de régiment, Adrian Schmidt et
sa bande, le patron rose du « Soleil » et aussi
aux gens qu'il ne connaissait pas et aux choses : les bâtiments de la ville, banques, librai-
ries, etc. Du moment qu'Houston ne valait

pas mieux d'Albuquerque, il y avait gros à
parier que Hong-Kong et Londres ne valaient
pas mieux qu'Houston. Le monde entier se
parait des couleurs sombres de son imagination.

Dans cette perspective, il lui semblait que
quelqu'un ou quelque chose avait été passé
sous silence, mais qui ? quoi ? Tout à coup, il
pensa à Sally Buck.

Sally au téléphone : « *Joe, comment vas-tu ?
J'ai une cliente qui s'attarde. Quand j'aurai
fini avec elle, j'irai boire un verre ou deux au
« Cheval Blanc ».*

« *Ecoute, chéri. Je pars pour Santa Fe. J'ai
un nouveau flirt. Pas mal pour une vieille
dame comme moi. Tu ne t'ennuieras pas, n'est-
ce pas ?* »

Sally devant la porte de sa chambre : « *Je
vais me mettre au lit, Joe. J'espère que tu as
passé une bonne journée. Tu me raconteras
ça demain. Ce soir, je suis trop fatiguée.* »

Sally dans son institut de beauté : « *Mon
enfant, ici c'est un endroit pour femmes. Tu
sais comment elles sont. Prends un magazine
et va le lire à la maison. Tu seras endormi
quand je rentrerai. Ton bulletin scolaire ? Est-*

*ce que je ne l'ai pas signé, l'autre jour ? Déjà
six semaines ! Comme le temps passe ! Rentre
vite, chéri.* »

Sally Buck. Pourquoi l'avait-il tant aimée ?
C'était une vieille folle qui se poudrait et se
parfumait sans arrêt, qui posait des questions
sans écouter les réponses et qui croyait qu'il
suffisait pour rendre un garçon heureux de
tirer quelques dollars de son sac. Ce qui parlait en sa faveur, c'étaient ses jambes maigres
et ses genoux noueux. Il pensait encore à ces
jambes et à ces genoux avec émotion. Mais
avait-elle une âme ? Quand elle était entrée
comme un fantôme dans cette chambre d'hôtel
d'Albuquerque elle s'était montrée complètement indifférente, ne songeant sans doute qu'à
enfourcher de nouveau son balai de sorcière.
Merde pour Sally !

Il se demanda s'il avait jamais éveillé une
attention particulière. Deux visages se présen-
tèrent à lui : celui d'un cow-boy à la voix gut-
turale et celui d'un homme à la barbe blonde
et au regard triste qui avait quitté cette terre
mille neuf cents ans plus tôt.

Woodsy Niles ! Woodsy n'était pas comme les

autres, mais avec son beau sourire et ses yeux pleins d'ardeur et de bonté, *à quoi* pouvait-il lui servir aujourd'hui ? Il devait écarter son souvenir, comme aussi le souvenir des genoux de Sally. Pour que sa colère demeurât intacte. La réussite était à ce prix.

Le café « Le Soleil » le vit plus actif que jamais. Avec une sorte de rage, il jetait la vaisselle sale dans la machine à laver. Pour lui, c'était une énorme bête. Elle enfournait dans sa gueule ouverte des milliers d'assiettes et de tasses, qu'elle lui rendrait sous la forme d'espèces sonnantes et trébuchantes dont il se servirait pour...

Pour quoi ? Il ne le savait pas au juste. Il savait seulement qu'il lui fallait de l'argent, et le plus d'argent possible.

Trois matins par semaine, il allait faire de la culture physique dans une salle. Son corps ne serait jamais trop fort, trop agile. Et il ne voulait pas perdre ses cheveux. Il les brossait chaque jour avec la plus grande énergie. Son rêve était d'acheter un équipement de cow-boy. Cela changerait son apparence, et du même coup sa vie.

Selon une légende indienne, il est un moment de l'existence où tout jeune homme se
voit en rêve portant un masque. A son réveil,
il doit chercher à rendre son visage semblable
à ce masque. On aurait dit que Joe Buck avait
fait le même rêve et que son avenir serait celui
que le masque lui imposerait.

Il avait renoncé à se faire des amis. C'était
perdre son temps, parce qu'il ne parlait la
langue de personne. La nuit, après son travail
au « Soleil », il errait dans les rues d'Houston,
poussé par une force quasi irrésistible.

A la suite de ces randonnées, trois images
s'étaient fixées dans son esprit. La première
de ces images c'était à la devanture d'un cinéma
la silhouette en carton d'un jeune acteur
d'Hollywood; les jambes écartées, les parties
sexuelles très en évidence, il visait les passants
avec un fusil dont le canon brillait dans la
lumière crue du néon.

La seconde image était tirée de la vie quo-
tidienne : une jeune femme, les mains posées
sur le volant de sa voiture — une grande déca-
potable blanche — regarde un beau garçon
debout sur le trottoir. Elle a vainement essayé

de remettre le moteur en marche. « Il faut
que vous m'aidiez, dit-elle. — Avec plaisir,
chérie. »

La troisième image, c'était une grande affiche
au coin de la Huitième Rue, représentant
Celui dont le regard exprime toute la tristesse
du monde. Au-dessus de Sa tête, il y avait
une phrase édifiante imprimée en caractères
gothiques. Un mauvais plaisant avait écrit au
bas de l'affiche, en se servant d'un bâton de
rouge : VA TE FAIRE FOUTRE.

Telles étaient les images qui hantaient Joe
Buck, alors qu'il s'apprêtait à partir vers son
destin.

DEUXIÈME PARTIE

I

Le « Lévrier » bondissait vers l'est et Joe était fasciné par le superbe animal qui avalait des kilomètres sans assouvir sa faim. On aurait dit que sa vigueur augmentait à chaque tour de roue.

Il y avait une place libre derrière le conducteur et Joe alla s'y asseoir pour fumer une cigarette. Il avait le sentiment d'être un des organes de cette belle mécanique. Le car et lui étaient tendus vers le même but — arriver à New York — mais il n'y avait guère plus d'esprit chez l'un que chez l'autre. Avant d'écraser son mégot dans le cendrier, il dit au conducteur : « Bonne camelote, n'est-ce pas ? » L'autre ne se donna pas la peine de répondre.

Joe retourna à son fauteuil, en s'efforçant de garder son équilibre. Oui, il ne faisait qu'un avec le car. Deux bolides lancés dans le temps et dans l'espace.

Joe ne réfléchissait jamais longtemps aux problèmes de la destinée. Il ferma les yeux et s'endormit.

Au cours de la seconde journée du voyage — l'arrivée à New York était prévue à cinq heures de l'après-midi — il commença à devenir nerveux. Il s'était peut-être montré trop confiant dans l'avenir. Il s'apprêtait à jouer un jeu dangereux et il n'en connaissait pas les règles.

La meilleure façon de se rassurer était de concentrer sa pensée sur sa valise blanche et noire et sur les deux objets qu'elle contenait, et aussi de tâter les dollars pliés dans sa poche arrière. Les autres voyageurs auxquels il jetait de temps en temps un coup d'œil ne lui apportaient guère de réconfort. Sans doute étaient-ce des étrangers, émus comme lui à l'idée d'aborder la plus grande et la plus riche ville du monde.

Le dernier arrêt avant New York était Howard Johnson en Pennsylvanie. Joe, sa valise à la main, pénétra dans les toilettes. Il changea de chemise, se rasa, déboucha son flacon d'Eau de Floride (on ne sent jamais assez bon) et passa un chiffon humide sur ses souliers.

Bien qu'il y eût quelques voyageurs dans la pièce, il ne résista pas au désir de se regarder dans la glace. Il employa sa méthode habituelle : il s'éloigna de quelques pas et se retourna brusquement pour à la fois se surprendre et se reconnaître. Le spectacle le réconforta. Et peut-être plus encore le craquement de ses souliers neufs, tandis qu'il se dirigeait vers la porte.

Les passagers du car avaient regagné leurs places. En passant devant deux jolies filles, il souleva son chapeau et sourit. A sa vive satisfaction le charme opéra. Pendant les dernières heures du voyage, les deux filles étouffèrent de petits rires derrière leurs mouchoirs. Joe avait eu tort de s'inquiéter. Il était jeune, il était beau, il lui suffisait de paraître pour séduire. Que ferait-il à son arrivée à New York ? Il se dirigerait vers Times Square et une fois là il prendrait le vent.

Les gratte-ciel de Manhattan apparurent à l'horizon, semblables aux pierres tombales d'un gigantesque cimetière. Joe posa sa main sur sa verge et se dit : « Cette chose-là, je la lancerai comme un lasso. Elles s'y laisseront toutes prendre. Vive cette île où on ne pense qu'à... »

II

Au Times Square Palace, Joe fut conduit à sa chambre par un chasseur âgé qui avait de la peine à porter sa valise. Joe lui donna un dollar, poussa la porte et examina la chambre. Elle coûtait deux fois plus cher que celle qu'il avait occupée à Houston, mais elle était infiniment plus confortable. Elle avait une salle de bain privée, des murs peints en vert clair, un charmant mobilier en érable. Le lit était recouvert d'une couverture de soie. Un téléphone se trouvait à portée de la main sur un guéridon. Joe se dit qu'il était installé comme un prince.

Il défit sa valise, posa son transistor sur la table de chevet et alla s'asseoir sur le rebord de la fenêtre. D'un côté, c'était la Quarante-deuxième Rue, animée et bruyante, de l'autre cette pièce où il accrocherait son chapeau et où il poserait sa tête.

Il eut l'impression que ses affaires personnelles n'étaient plus dans la commode bien qu'il les eût rangées quelques minutes auparavant. Il avait tendace à croire que les choses se volatilisent dès qu'on les quitte des yeux. Il se dirigea vers le miroir. Ce fut un soulagement de constater que lui, Joe Buck, était là. Pour en être absolument sûr, il agita la main et sourit. Il alla vérifier le contenu des tiroirs et revint, l'esprit libre, vers le miroir. Il dit à son image : « T'en fais pas, cow-boy. Tu seras heureux et riche ici. » Il esquissa un pas de danse obscène et retourna s'asseoir sur le rebord de la fenêtre.

De l'autre côté de la rue, une vieille mendiante était accroupie sur le trottoir. Elle tenait à la main une bouteille dont elle versait le contenu sur ses pieds nus. Personne ne faisait attention à elle. Un agent de police lui jeta un coup d'œil et passa son chemin. Joe rentra dans la chambre. « Tu es bien ici », dit-il à son transistor. Il tourna le bouton. Un homme et une femme parlaient avec une voix métallique.

La femme : « C'est ma méthode. Je n'en ai pas d'autre. »

L'homme : « Ça me dépasse. Quand tu as une insomnie, tu sautes du lit ?

— Oui.

— Qu'est-ce que tu fais, une fois levée ?

— J'allume l'électricité. Je fais la vaisselle. Je couds.

— Tu n'es pas fatiguée le lendemain matin ?

— Oh ! non. Pas fatiguée du tout. »

Elle paraissait au comble de l'énervement.

Joe plaignit la malheureuse et en même temps fut ravi de ce qu'il avait entendu. Cela confirmait ce qu'on lui avait dit des femmes de l'Est. Il dit tout haut : « Je sais ce dont vous avez besoin, madame. Appelez-moi et j'accours. Vous serez comblée. »

La femme s'adressait maintenant au speaker. « Je crois que je vais m'évanouir, ici, devant le micro.

— Pas avant de nous avoir chanté quelque chose, nos auditeurs seraient trop déçus. » Le speaker mit un disque. *Oh ! mon cœur ! Mon*

pauvre cœur. La voix de la femme était maintenant d'une grande douceur.

Tandis que le disque tournait, Joe prit sur
le dessus de la commode une pointe Bic et
deux cartes postales représentant la façade du
Times Square Palace. Il reconnut la fenêtre
de la chambre qu'il occupait et l'entoura d'un
cercle. Sur la partie réservée à la correspon-
dance, il écrivit : « Cher... » Il leva sa pointe
Bic et pensa : « Cher qui ? » Incapable de
trouver un nom, il déchira la carte en deux
et la jeta par la fenêtre.

La dame à la radio chantait toujours. Cette
fois elle avait trouvé l'Amour, le Vrai Amour.

Joe prit une seconde carte, fit un cercle
autour de sa fenêtre et décida de ne plus
l'adresser à un « Cher » quelconque. « Joe, mon
vieux, écrivit-il au verso, New York n'est pas
exactement ce que je pensais, mais je m'y
trouve très bien. » Au recto, en guise d'adresse,
il écrivit « MERDE ». Cela fait, il déchira la
carte en petits morceaux. « Nom de Dieu, se
dit-il, je ne suis pas venu ici pour écrire des
cartes postales. » Tout à coup il pensa à quelqu'un à qui il aurait pu en envoyer une : le

vieux nègre, son collègue au café du « Soleil ».
Mais déjà les petits bouts de papier avaient pris
le chemin de la rue et l'un d'eux s'était posé
sur le béret d'un marin qui marchait sur le
trottoir en roulant les hanches.

III

JOE régla son pas sur la dame riche afin d'arriver en même temps qu'elle au passage clouté. Avec un peu de chance, le feu serait rouge. Ils engageraient la conversation sur le trottoir. La dame riche lui ferait peut-être des avances. Il était déçu par Park Avenue. Aucun passant ne l'avait regardé avec un peu d'insistance. Sa confiance était un objet fragile et il devait prendre grand soin de la préserver d'un choc qui l'aurait brisée. Un premier échec pouvait avoir des conséquences fatales.

La dame riche était de taille moyenne, brune et très élégante. Malheureusement, rien chez elle n'indiquait le désir de recevoir favorablement ses propositions. Elle martelait le sol de ses hauts talons avec une grande assurance. Joe admira ses chevilles, qui avaient l'air de dire :

« Nous sommes frêles mais très capables de supporter le poids de cette dame riche. »

Au coin de la Trente-neuvième Rue, en attendant le feu, Joe retira son chapeau et s'inclina, la main sur le cœur. « Je vous demande pardon, madame, je suis nouveau dans la ville. J'arrive d'Houston. Je cherche la statue de la Liberté. » Il avait fait jouer ses muscles faciaux. L'éblouissant sourire était en place.

La dame riche fit semblant de n'avoir pas entendu. Comme elle n'avait pas tourné la tête, il ne voyait que son profil, un profil d'un dessin parfait. Quand le feu de la chaussée vira au vert, elle traversa Park Avenue et Joe lui emboîta le pas. Arrivés sur l'autre trottoir, elle s'arrêta et regarda Joe en face. Elle dit : « Est-ce que vous vous moquez de moi ? Au sujet de la statue de la Liberté ? » On n'aurait su dire si sa voix était amicale ou hostile.

« Me moquer de vous ? Ah ! non, madame. Je suis toujours sérieux. »

Peu convaincue, la dame poursuivit : « Alors, je me suis trompée. Je croyais... » Elle sourit. Joe fut touché par la beauté très particulière de ce sourire, le sourire d'une personne qui, dans quelques jours, dans quelques heures peut-être, cessera d'être jeune — l'âge mûr guette sa proie et va bondir sur elle — touché aussi par un regard bleu dont la vivacité était d'autant plus émouvante qu'on la sentait menacée. Elle regarda dans la direction du sud. « Je n'y suis jamais allée. Je ne l'ai vue que du bateau... Attendez, je crois que vous devrez prendre le métro de la Septième Avenue et descendre au terminus. Je ne suis pas tout à fait sûre. Demandez à quelqu'un d'autre. »

Joe était si ému d'entendre parler la dame qu'il écoutait à peine ce qu'elle disait. Les mots que dessinaient ses lèvres lui paraissaient des miracles de beauté. « Vous êtes très jolie, madame », dit-il.

La dame se tourna brusquement vers lui. Elle avait rougi. « Oh ! dit-elle en prenant un air sévère qui ne lui allait guère, vous ne cherchez pas la statue de la Liberté.

— C'est vrai, madame. Je ne la cherche pas.

— Dégoûtant. Vraiment dégoûtant. Vous n'avez pas honte ? »

Elle sourit. De petites rides se creusèrent
autour de sa bouche. L'éclat de ses yeux s'aviva.
Ces yeux disaient : « Nous sommes deux
êtres exceptionnels. Nous voyons des choses
que les autres ne voient pas, mais maintenant
que nous avons partagé ce merveilleux secret,
nous devons nous quitter. »

En la regardant s'éloigner, il remarqua
que son petit derrière avait quelque chose de
complexé. Cela causa un émoi dans son bas-
ventre.

Certaines femmes, il l'avait remarqué, se
balancent sur les fesses en marchant et, en
même temps, dressent la tête afin de laisser
croire que les pensées qui s'y agitent sont aussi
lointaines et aussi froides que les mers nor-
diques. Les tempes battantes, Joe s'agrippa au
sol de toutes ses forces. Il ne voulait pas perdre
l'équilibre.

« La gentille femme », pensa-t-il alors qu'elle
s'engageait dans la Trente-septième Rue. Il
continua à penser tout haut. « Et riche. Dom-
mage qu'elle ne soit pas une acheteuse. »

Il la vit pénétrer sous la voûte d'une grande
maison en briques brunes. Un bruit sourd le

fit sursauter. La porte cochère venait de se refermer.

Il s'assit sur le rebord du trottoir. Pourquoi était-il si triste, presque au bord du désespoir ? Au bout de quelques minutes, les fenêtres du premier étage s'éclairèrent. La lumière dorée était chaude comme une peau. Il comprit que la nuit était venue et que c'était le moment d'aller boire un verre. Il se leva et se remit à marcher.

Et très vite, il rencontra une autre dame riche. Elle ne ressemblait pas du tout à la première.

IV

La seconde dame riche tirait sur la laisse d'un caniche nain. Au coin de Lexington Avenue et de la Trentième Rue, elle s'arrêta pour regarder des roses jaunes à la devanture d'un fleuriste.

Le caniche était minuscule, la dame énorme. Elle faisait penser à ces vedettes de cinéma dont parlent les journaux, qui ont gâché leur carrière parce qu'elles aimaient trop les bons repas. Elle portait une robe noire très serrée aux hanches et des souliers roses à talons aiguilles. Ses cils avaient un centimètre de long, sa bouche était rouge sang. Du visage de cette grosse poupée sortaient deux petits yeux verts qui regardaient le monde avec une fixité extraordinaire.

Joe s'était immobilisé devant les roses jaunes. La dame ne tarda pas à s'apercevoir de sa présence. « Viens, Bébé, dit-elle à son chien. Et sois gentil, ne tire pas trop. »

Joe retira son chapeau et s'inclina, la main sur le cœur. « Excusez-moi, madame. Je suis nouveau dans la ville. Je viens d'Houston dans le Texas. Je voudrais voir la statue de la Liberté. »

La dame leva sur lui un regard étonné. « Voir quoi ?

— La statue de la Liberté.

— Qu'est-ce que vous dites là ?

— La vérité, madame. »

Le fameux sourire apparut sur les lèvres de Joe. Ce sourire avait toujours l'air d'être involontaire, ce qui en augmentait considérablement le charme.

La dame le regarda comme l'aigle regarde le soleil. « C'est une trotte, dit-elle, mais en vous dépêchant vous arriverez pour la représentation du soir. Prenez le raccourci par Central Park. » Elle donna un très léger coup de pied à son chien et ajouta d'une voix rauque et vulgaire : « Maintenant, fichez le camp. »

Elle s'éloigna. Une dizaine de mètres plus loin, elle se retourna et lança un drôle de regard à Joe. Perplexe, il la vit remonter Lexington Avenue d'un pas alerte; le caniche trottinait à côté d'elle.

Au feu de position, elle se retourna de nouveau et sourit. Elle se baissa pour prendre le petit chien dans ses bras et traversa la chaussée. Joe fit de même. Quelques minutes plus tard, la dame, cette fois sans se retourner car elle était sûre qu'il la suivait, pénétra sous la voûte d'un immeuble. Joe passa à sa suite dans un hall dont les portes lui parurent d'or massif. Elles étaient peut-être en métal doré, mais Joe n'en pensa pas moins qu'une fois ces portes franchies la question d'argent ne se poserait plus. Il entra dans l'ascenseur où la dame l'avait précédé. Elle appuya sur un bouton, puis posa sa main sur la gueule du petit chien sans tenir compte de la présence de Joe. Mais une fois arrivés sur le palier du dernier étage, il sentit qu'une grosse poitrine se collait contre la sienne et que des lèvres humides cherchaient sa bouche. Il frissonna. La dame fouilla dans son sac, trouva sa clef et ouvrit la porte de l'appartement.

Joe eut le sentiment que ses souliers s'enfon-

çaient jusqu'aux chevilles dans un tapis moelleux.

La dame le prit par la main et l'entraîna
vers un bureau blanc et or sur lequel était posé
un téléphone, blanc et or aussi.

« J'ai quelques coups de trompe à donner »,
dit-elle. Elle avait décroché l'appareil et en
même temps s'escrimait avec la fermeture du
blue-jean. Dans ses rêves les plus hardis, Joe
n'avait jamais envisagé qu'une aventure pût
être conduite avec autant de célérité.

« Ici, Cass Trehune », dit la dame riche
quand elle eut obtenu le standard. Sa main
gauche farfouillait dans la braguette de Joe.
« Qui est là ? Ah ! c'est toi, Imelda. Bonsoir,
ma chérie. Est-ce qu'on m'a appelée ? Needleman, bien. Il y a longtemps ? Je dis : il y a
longtemps ? Ne cherche pas le numéro. Je l'ai.
C'est le 27-44 à Murray Hill. Merci, mon
enfant. »

Elle coupa le contact et baissa les yeux pour
voir ce que sa main gauche avait mis au jour.
Elle se saisit de l'objet avec une satisfaction évi-
dente.

Sa main droite n'avait pas lâché le téléphone,

elle composait le numéro de Murray Hill.
« Mr. Needleman, s'il vous plaît. » Il y eut
une pause. « Ah ! Mr. Palbmaum, qu'est-ce
que vous fichez là ? Passez-moi Morey. » Nouvelle pause. Elle avait introduit son oreille dans
la bouche de Joe. « Arrête, dit-elle en posant
sa main sur le cornet. Tu me fais mal, salaud ! »
Changeant de ton, elle dit : « C'est toi, Morey
chéri ? » Sa voix était tout miel, la voix qu'on
devait employer pour engager les enfants à
entrer dans la chambre à gaz. « J'ai reçu ton
message. Je promenais Bébé. Je ne suis sor
tie qu'un instant. Tu ne me crois pas ? Vraiment, tu me rendras folle. Si c'est comme ça,
je vais aller m'étendre et quand tu viendras tu trouveras la porte fermée à clef. » Elle
eut un petit rire et poursuivit : « Je blague,
naturellement. Dans combien de temps seras-tu
là, amour ? » Elle se tourna vers Joe et enfonça
non plus son oreille mais sa langue dans sa
bouche. Il n'y avait rien de passionné dans cet
acte. On aurait dit qu'elle faisait passer un exa-
men à ses dents de derrière comme le font les
dentistes. Satisfaite de son enquête, elle dit dans
l'appareil. « Comme tu voudras, Morey, mais

je suis très déçue. » Elle fit un clin d'œil signi-
ficatif à Joe et lui montra sa main dont elle
avait croisé les doigts. « Ce que je vais faire,
Morey ? Dormir une heure ou deux. Après je
dînerai en regardant la télé et je m'habillerai
très lentement. A minuit je te retrouverai
chez Jilly. Tiens, en voilà un gros humide. »
Elle fit avec sa bouche un bruit de succion
et termina l'entretien en jouant l'enfant :
« Non, tu n'en auras qu'un. Tu es trop
méchant. Mais je t'aime, oh ! comme je
t'aime ! »

Ce qui se passa ensuite fut d'abord suivi
avec beaucoup d'attention par le caniche blanc.
La scène ne cessait de se déplacer : du bureau
à une table de cocktail, de deux chaises capiton-
nées à un pouf. Bientôt la petite bête en eut
assez, et alors que Joe et la dame riche entraient
dans la cuisine en se tenant par la taille, Bébé
se dirigea vers la chambre à coucher. Quelques
minutes plus tard, trouvant le lit occupé, les
deux complices s'étendirent sur la carpette.
Ils ne tardèrent pas à s'endormir. Joe fut réveillé
par un chatouillement dans les doigts de pied.
Le petit chien devait les lui sucer... Il ouvrit les

yeux et constata que ce n'était pas la langue de
Bébé, mais celle de la dame riche. Il tendit
ses bras vers elle, mais déjà elle s'était levée
et courait toute nue vers la terrasse qui prolon-
geait la chambre à coucher.

Une terrasse ! Joe ne pouvait croire à son
bonheur. Il avait eu le nez creux pour sa première aventure. La dame s'adossa au petit mur
de protection. « Vois, dit-elle en montrant le
ciel du doigt, la première étoile ! Fais un vœu.
J'ai fait le mien. »

Elle se pencha. La rue était quinze étages
plus bas. « Oh ! dit-elle, j'ai peur ! Je suis
sujette au vertige ! » Joe s'approcha de la dame
riche et saisit ses fesses, dont la souplesse lui
plut. « Je te tiens, tu n'as rien à craindre. Je
n'ai pas envie que tu m'échappes.

— Mon Dieu ! s'écria-t-elle. Que fais-tu ?
Quel culot... » Mais elle cessa vite de parler.

Joe regardait l'île de Manhattan. Il était au
sommet d'un immeuble de New York, nu à côté
d'une femme nue. Etrange en vérité. Il eut le
sentiment que les deux êtres qui étaient en
lui, celui qu'il était et celui qu'il rêvait d'être,

qui jusqu'à présent avaient suivi des voies différentes, se fondaient en un seul. Le miracle
s'était accompli sur cette terrasse, sous le regard
des étoiles. Ses yeux se remplirent de larmes.

V

Joe s'était fait une idée — un peu hâtive, reconnaissons-le — de la fortune de Cass Trehune, et cela pour plusieurs raisons. Elle avait un caniche nain (ça devait coûter très cher de maintenir le souffle dans un aussi petit corps), elle portait des bracelets en diamants (il ne savait pas que c'était du strass) et elle habitait un appartement digne d'un archevêque.

Il pensa que le moment était venu de passer à l'action.

Un peu après onze heures, alors qu'elle se trouvait dans la salle de bain, se préparant pour son rendez-vous avec Mr. Needleman, il se posta devant la glace de la coiffeuse et répéta la scène qu'il allait jouer. « Chère Cass, je viens de passer un moment merveilleux, si merveilleux que j'ose à peine... »

Ce n'était pas un bon début. Mieux valait dire ceci : « Chère et belle créature — il souriait de toutes ses dents et tendait les mains vers la coiffeuse —, est-ce que tu peux me prêter vingt dollars ? » Une petite voix dans sa tête répondit : « Mon bébé, je vais t'en donner, cinquante, mais tu en vaux bien davantage. » Joe, ravi, s'envoya un baiser à travers le miroir.

Cass sortit sur la pointe des pieds de la salle de bain. Elle était toujours nue, mais maquillée de frais. Elle cachait son intimité avec une serviette. Joe ne l'aurait pas crue si pudique. « Ne regardez pas, jeune homme », dit-elle en se dirigeant vers une petite pièce où devaient se trouver ses robes.

« Je viens de passer un très bon moment, dit Joe.

— Moi aussi, dit une voix de l'autre côté de la porte.

— Peut-être le meilleur moment de ma vie. Tu es une belle pépée. »

Quelques minutes plus tard, Cass réapparut dans une somptueuse robe en lamé ivoire. « Peux-tu me l'attacher derrière, cow-boy ? »

Joe fit ce qui lui était demandé et dit :

« Cass, autant que je te le dise. Je suis
venu à New York pour boulonner.

— Pauvre chou. » Elle s'était assise devant
la coiffeuse et passait de la laque sur ses cheveux. « C'est comme Morey, il a un métier
de chien. »

Joe réfléchit un instant. « Il doit être très
occupé. Je suis comme lui, je n'ai pas de temps
à perdre.

— Vous êtes très différents dans d'autres
domaines aussi, crois-moi. »

Elle se vaporisa avec un parfum très violent
et, jugeant nécessaire de faire une retouche à
ses lèvres, saisit un bâton de rouge.

« Pour être franc, dit Joe — les mots avaient
de la peine à sortir de sa bouche — je suis
un gigolo.

— Vraiment ? » Elle passa sa langue sur ses
dents. « Tout le monde doit gagner sa vie. »

Joe éclata de rire : « Qu'est-ce que tu
dis ?

— Je dis que tout le monde doit gagner sa
vie. Il n'y a pas de sot métier. »

Elle se leva et alla prendre dans le tiroir
d'une commode une bourse en perles. Elle

l'ouvrit et s'approcha de Joe qui était assis sur
le lit et tripotait les lacets de ses souliers. Il ne
voulait pas qu'elle vît l'éclair dans son regard.
Elle agita la bourse devant ses yeux. Elle était
vide.

« Cow-boy, peux-tu me donner un peu de
monnaie pour mon taxi ? Je n'ai pas eu le
temps d'aller à la banque. » Elle le regardait
d'un air langoureux. « Tu es si gentil. Je
déteste l'argent. Toi aussi, n'est-ce pas ? Maintenant, il faut que je parte. Je vais être en
retard. Mon Dieu, que ça a été bon ! Prends
mon numéro de téléphone. »

Le choc fut rude, mais Joe retrouva tout de
suite ses esprits. Il eut un petit rire : « Drôle
que tu me parles de fric. J'allais justement
t'en demander. » Il aurait voulu ajouter quelque chose pour sauver la face, mais sa gorge
s'était nouée. Il lui fut impossible de proférer
un son.

Un ange passa. Mais était-ce un ange ?

La femme s'était jetée sur le lit. Elle hur-
lait : « Tu veux de l'argent ? Tu me demandes
de l'argent ! Salaud ! Canaille ! Me prends-tu
pour une mère maquerelle ? Regarde-moi.

Trente et un ans ! Tu t'es trompé d'adresse.
Je suis une belle pépée, tu me l'as dit tout à
l'heure. Si je ne me retenais pas, je t'étran-
glerais... » Elle se mit à sangloter.

Joe se demanda ce qu'on dit dans ces cas-là.
Il se leva, alluma une cigarette et en tira quelques bouffées. Peut-être une idée lui viendrait-elle s'il regardait longtemps et attentivement la femme couchée à quelques centimètres
au-dessous de lui. Elle avait l'air d'une baleine
échouée sur la plage. Etait-il possible que le
chagrin pût grossir quelqu'un à ce point ?

« Dis donc, Cass. » Il s'était assis à côté d'elle
et il lui caressait le cou. « Est-ce que tu as
vraiment pensé que je voulais du fric ? As-tu
été assez bête pour me prendre pour un gigolo ?
Sûrement pas. Tu fais semblant d'être en colère.
Tu ne pleures pas du tout. Combien te faut-il
pour ton taxi ? Cinq ? Dix ? » Il avait sorti les
billets de sa poche de derrière et il les agitait
devant elle. « Ouvre les yeux ! Regarde ! Est-ce
que tu crois que je t'aurais demandé quelque
chose avec cette liasse sur le cul ? Je suis d'Houston, Texas, ma chère. Mon paternel dirige
une grosse affaire de pétrole. Il me donne tout

le pognon que je veux. Est-ce que tu vas t'arrêter de chialer, nom de Dieu ? »

Il lui tendit un bout de drap. Tandis quelle s'essuyait le visage, il lui dit à l'oreille : « Tu es une belle pépée. Quand je te l'ai dit, je le pensais. Ça rend un gars fou rien que de te regarder. » Il prit un billet de vingt dollars et le glissa dans le creux entre ses deux seins. « Maintenant, pars. Tu vas être en retard. »

Cass Trehune ouvrit les yeux, s'assit sur le lit et se moucha bruyamment.

VI

JOE se dirigea vers le bar le plus proche. Dans son esprit embrumé flottait une image dont il n'arrivait pas à se débarrasser. Pourquoi, depuis qu'il avait quitté Cass Trehune, ne cessait-il de penser à la vieille putain du Texas, la mère de Tombaby? Ayant avalé un verre de whisky dans l'espoir que cela lui rincerait le cerveau, il se rcmit à errer dans les rues.

Vers minuit, il entra à l'Everett, à l'angle de Broadway et de la Quarantième Rue. L'endroit lui parut terriblement bruyant, mais les clients assis à de petites tables ou juchés sur les tabourets du bar ne semblaient nullement gênés par les sons diaboliques qu'échangeaient un appareil de télévision et un juke-box situés aux deux extrémités de la pièce.

Joe but un nouveau whisky et deux verres

de bière pour le faire descendre. Cela aurait
dû mettre de l'ordre dans ses idées ou du moins
chasser l'odieuse vision. Mais non Juanita Barefoot était toujours là, parlant d'abondance
et agitant les bras comme si elle présidait un
meeting en enfer. Maintenant elle s'adressait
à lui. Ce qu'elle disait était inintelligible.
Il le regretta, car c'était elle qui lui avait donné
l'idée de venir dans cette sacrée ville et peut-
être lui donnait-elle un conseil. Un conseil,
voilà ce dont il avait besoin, ce qu'inconsciem-
ment il réclamait depuis son arrivée à New
York. Il ne s'en tirerait jamais si quelqu'un
ne lui disait pas comment s'y prendre.

Du moment qu'il ne pouvait entendre ses
paroles, autant fuir cette Juanita qui ne lui
rappelait que de mauvais souvenirs. Il se leva
pour aller tirer un paquet de cigarettes d'un
appareil automatique.

Quand il revint au bar, il trouva la place à
côté de la sienne occupée. Un drôle de petit
bonhomme, maigre comme un clou et à peine
plus grand qu'un enfant — il devait pourtant
avoir vingt et un ou vingt-deux ans — s'était
hissé sur le haut tabouret. A la vue de Joe, i¹

sourit et fit un geste de la main. Au bout de quelques instants, il dit avec un fort accent new yorkais : « Excusez-moi si je me mêle de ce qui ne me regarde pas, mais je trouve que vous avez une chemise formidable. » Son regard exprimait la plus vive admiration. « Oui, c'est une chemise formidable. Je suis sûr que vous l'avez payée très cher. »

Joe se dit qu'une voix aussi rocailleuse ne pouvait appartenir qu'à quelqu'un vivant dans les bas-fonds. Il dit en baissant modestement les yeux : « Oh ! elle n'est pas bon marché. J'aime mieux payer cher et que ça dure long-temps. » Mais il pensait à autre chose en par-lant : il venait de comprendre d'où lui viendrait le conseil qu'il cherchait.

Il tendit la main et dit : « Joe Buck, d'Hous-ton, Texas. Un verre ? »

Le petit homme — il était très sale, avec des cheveux blonds frisés — se présenta : « Rico Rizzo, du Bronx. » Il y avait chez lui un air de complicité. Certainement, il savait tout ce qu'il était utile de savoir. Et comme il écoutait bien ! Ses oreilles étaient tellement écartées qu'on aurait dit qu'elles étaient maintenues par des mains invisibles pour que rien ne leur échappe.

Après plusieurs whiskys — Joe semblait prendre plaisir à jouer ce rôle d'amphitryon — sa langue s'était déliée. En ce moment il exposait à Ricco Rizzo ses problèmes financiers, et cela avec la précision d'un caissier de banque. « Il me reste quatre-vingt-onze dollars. En argent liquide. Dans ma poche de derrière. La gauche.

— Comptons pour être sûrs », dit Rico Rizzo.

L'attente du petit homme fut distraite par l'arrivée de deux jeunes gens qui grimpèrent sur des tabourets à l'autre bout du bar. Rizzo leur jeta un regard soupçonneux et proposa à Joe d'aller s'asseoir à une table.

En suivant son compagnon au fond de l'établissement, Joe constata que c'était un infirme. Sa jambe gauche était tordue et beaucoup plus petite que la droite. A chaque pas, il faisait un mouvement plongeant du plus curieux effet.

Ils s'assirent tout près du glapissant juke-box. Rizzo avait saisi sa jambe gauche et l'avait soulevée avec ses deux mains afin de la loger sous la table. L'effort que cela lui coûta rendit son visage tout pâle. Joe fut bouleversé à l'idée que ce garçon souffrait, qu'il souffrait peut-être tout le temps. L'alcool qu'il avait ingurgité l'avait rendu plus réceptif que d'habitude. Il se dit qu'en ce monde le bonheur absolu n'existe pas. On croit vivre un moment parfait, et quelque chose survient qui rompt le charme. L'idée lui fut tellement odieuse qu'il chercha contre qui ou contre quoi assouvir sa colère. Le gnome n'était pas responsable de son infirmité, mais il y avait le juke-box. Ah ! le faire taire, le briser en morceaux ! Il allait passer à l'action quand il vit le regard suppliant de son compagnon. Sous ce regard, sa colère tomba. Il se leva en souriant d'un air niais et se dirigea vers les toilettes. A peine y était-il arrivé qu'il vomit sur le dallage. Un peu plus tard, tandis qu'il se regardait dans la glace après s'être rincé la bouche, il entendit une voix qui sortait du miroir. C'était la voix de Juanita Barefoot. Elle disait : « NE BOIS PLUS, COW-BOY. PENSE A TON BOULOT. »

Revenu à la table, il dit à Ricco Rizzo : « J'en ai mon compte ce soir. Finis mon verre. »

Le gnome paraissait perdu dans ses pensées.
De temps en temps, il levait les yeux sur Joe.
Celui-ci voulut lui parler. L'autre lui mit la
main sur la bouche. « Tais-toi. Laisse-moi
réfléchir. C'est important. Donne-moi une
sèche. » Joe lui tendit une Camel et en alluma
une pour lui. Le silence s'établit. Joe se
demanda ce qu'il allait en sortir. Le gnome
émettait de petits nuages de fumée et gardait
les yeux mi-clos. Tout à coup il dit : « Celui
qui te faut c'est Mr. O'Daniel. » Le juke-box
s'était remis à rugir et Joe ne comprit pas le
nom de la personne qu'il lui fallait. Il saisit
Rizzo par le poignet : « De qui que tu causes ?

— De Mr. O'Daniel. MONSIEUR O'DANIEL. Je le
connais. Il te prendra en main. Tu m'écoutes ?

— Ouais. Cette saloperie fait moins de bruit
maintenant.

— Alors, ouvre tes esgourdes. Les femmes
qui achètent sont des dames de la haute. Des
dames qui ont du « standing ». On ne peut
pas leur demander d'aller choisir elles-mêmes
la marchandise dans Times Square. Il leur faut
un intermédiaire ? Tu piges ?

— Oui, Rico, je pige. »

Joe s'était penché en avant et avait posé son oreille à quelques centimètres de la bouche de son compagnon.

« Mr. O'Daniel est le type. Il connaît le buseness. Je lui ai confié un gars il y a deux semaines à peu près. Succès complet. Des costumes neufs, une voiture de sport. Il va à la banque tous les jours. Tu sais pourquoi ? Pour y *mettre* du fric. Pourtant, à ce qu'on m'a dit, il est pas tellement bien monté. Un gars très ordinaire. »

Joe dit d'une voix sourde : « J'aurais bien aimé te rencontrer cet après-midi.

— Ça c'est vrai. Foutre vingt dollars à une vieille poule ! Au fond j'en aurais fait autant. Une femme pleure et je suis prêt à lui donner un morceau de ma chair.

— Toute petite opération », dit une voix derrière eux.

Les jeunes gens de tout à l'heure avaient quitté le bar et s'étaient approchés de leur table. C'était le plus grand des deux qui avait parlé : un garçon aux yeux bleus et à la peau grasse que l'on aurait pris pour un fermier s'il n'avait eu les sourcils épilés comme une femme. « Je

t'aurais tiré un morceau de chair avec ma lime
à ongles, poursuivit-il. Je peux le faire tout de
suite.

— Partons d'ici, Joe », dit le gnome.

Joe se leva. Il remonta son pantalon du geste
familier aux cow-boys des westerns et dit au
grand jeune homme : « JE NE SUIS PAS UN TUEUR,
MAIS QUAND ON ME CHERCHE... » Les deux garçons
le regardèrent avec un certain respect. Joe,
satisfait de l'impression qu'il avait produite,
se rassit.

Rizzo dit : « T'en fais pas, Joe, je suis habitué à ces types-là. Se foutre des infirmes, c'est
ça qui les amuse.

— Est-ce que je peux me permettre de vous
demander quelque chose ? » dit le fermier
efféminé à Joe.

De la tête, Joe fit signe que oui.

« Eh bien, voilà. Si vous vous asseyez ici et lui
— il désigna Rizzo — là, comment fera-t-il
pour mettre sa main dans votre poche ? » Il
haussa les épaules. « C'est vrai qu'il a dû le
prévoir. » Il se tourna vers Rizzo et dit :
« Bonsoir, chéri. »

Les deux jeunes gens quittèrent l'établissement. Rizzo regarda Joe droit dans les yeux et dit : « Est-ce que tu crois que je suis malhonnête ? » Et avant que l'autre eût eu le temps de répondre : « Eh bien, je le suis. Si t'as la trouille, va-t'en. La porte est ouverte.

— Je resterai avec toi, Rico. Je plaque pas comme ça un copain. Je me fous que tu sois pas tout à fait comme tout le monde... » A ce moment, Juanita Barefoot apparut une fois de plus devant lui. Elle levait les yeux au ciel. Il décida de ne pas lui prêter attention. « Mon vieux Rico, tu connais la musique. Je ferai ce que tu me diras de faire. Il faut que je sorte du pétrin. » Rizzo passa sa langue sur ses lèvres et dit : « Je vois, t'es un garçon raisonnable. »

Joe se pencha vers Rico : « Si tu m'emmenais voir cet oiseau, Mr. Je Ne Sais Quoi ?

— Maintenant ? A c't' heure-ci ? » Il réfléchit un instant. « Au fond c'est pas impossible. Mais pourquoi, mon Dieu, pourquoi ? » Il regardait Joe d'un air agressif. « Parce que t'es beau gosse ? Parce que tu m'as payé à boire ? »

Joe se demanda ce qui se passait dans la tête de son nouvel ami. Rico reprit : « Ces types-là, on les trouve pas facilement. Il faudra que je cours partout avec ma patte... et est-ce que ça remplira mon porte-monnaie ? Demain, tu seras couché dans un appartement de la Cinquième Avenue avec une gonzesse pleine aux as et le pauvre Rico, où est-ce qui sera ? A l'Automate probablement.

— Qu'est-ce que tu chantes ? Je ne suis pas le gars à tout garder pour moi. Tu me connais pas. »

Joe fit un geste de la main comme s'il voulait chasser la pensée que venait d'avoir son camarade.

« Merci, dit Rizzo. T'es un brave type. Je l'ai vu tout de suite. Mais, je vais te dire une chose. Je fais rien comme ça, en l'air. Question de principe.

— J'ai jamais dit que je te donnerais pas un morceau du gâteau. Dis-moi combien tu veux. Tu l'auras.

— Les belles promesses je connais ça. T'as une gueule honnête, vieux. Moi aussi j'ai une gueule honnête. Est-ce pas que j'ai une gueule honnête ?

— Ouais.

— C'est bien ce que je disais. J'ai une gueule honnête et je suis filou comme pas un. Alors, pourquoi est-ce que j'aurais confiance en toi ? Pourquoi, nom de Dieu ? »

Joe ne dit rien pendant quelques minutes. Il éteignit sa cigarette et porta la main à la poche arrière de son pantalon.

« Je vais te donner quelque chose tout de suite.

— Te presse pas, Joe. Pense un peu avant. »

Le visage de Rico s'était allongé. Ses yeux étaient un peu hagards. Joe comprit que ce qu'il avait à dire lui coûtait énormément. Il tendit l'oreille car sa voix avait baissé de plusieurs tons. « T'as tort d'avoir confiance en moi. T'es un innocent. Tu te feras toujours rouler. »

Joe rougit de colère.

« Ça me regarde, non ? Occupe-toi de tes fesses. » Il posa sa liasse de dollars sur la table. « Combien veux-tu, Rico ?

— A toi de décider.

— Je sais vraiment pas. Qu'est-ce qu'on demande à une gonzesse riche pour une nuit ?

— Une nuit ! T'as dit une nuit ? Mr. O'Da-

niel n'cherche pas pour ces dames des parte-
naires d'une nuit. Ce qu'il te trouvera, c'est
une *situation*. Ça marchera peut-être pas avec
la première, avec la seconde ou avec la troisième.
Ça, c'est les coups d'essai. Pour le coup d'essai,
il faut compter cinquante, quelquefois cent.

— Cinquante ou cent ! Tu parles de dollars ? »
Il donna un grand coup de poing sur la table.
Il était très impressionné. « Combien veux-tu,
Rico ? Un billet de dix ? »

Rizzo eut un petit sourire. « Tu te fous de
moi. J'en gagnerais bien plus pendant le temps
que je mettrais à chercher ce type. Mais je
suis bon bougre. Je vais te dire ce que je vais
faire. Je vais prendre les dix dollars. »

Il se saisit du billet comme s'il n'avait aucune
valeur et le glissa dans sa poche. « Seulement,
vieux, quand je t'aurai remis entre les pattes
de Mr. O'Daniel, il m'en faudra encore dix.
D'accord ? Si ça te va pas, on en cause plus. »

Il y eut un silence.

« Dis-moi, dit tout à coup Joe. Est-ce qu'il
y a une chance pour que cet oiseau me mette
au travail cette nuit ?

— Une *chance* ? Ça n'a rien à voir avec la

chance. T'auras du pain sur la planche tout de suite. Sûr et certain. A New York, ce qui manque, c'est la matière première.

— Qu'est-ce que tu veux dire ?

— Je veux dire qu'il y a plus de demandes que d'offres.

— Je ne comprends pas.

— C'est pourtant pas difficile. Tâche de piger. A New York, y a trop de femmes et pas assez de gars comme toi. »

Joe se leva brusquement de la table.

Ils remontaient en direction de Times Square.
Joe avait remarqué que la jambe de Rizzo ne
le gênait pas trop en terrain plat. Il se fixait un
objectif — disons le coin de la prochaine rue —
et il partait clopin-clopant à une telle allure
qu'on pouvait se demander s'il ne dépasserait
pas le feu rouge des piétons.

A la hauteur de la Quarante-deuxième Rue,
Rizzo dit : « Essayons cet hôtel d'abord. Avec
une veine fantastique, je dis *fantastique,* on
le trouvera dans sa chambre. »

Ils se frayèrent un chemin parmi une foule
de gens qui paraissaient n'avoir jamais vu le
soleil. Leurs teints blafards, leurs joues creuses,
leurs yeux vides de toute expression évoquaient
des nuits d'insomnie et d'angoisse.

« Je suis sûr et certain qu'il sera pas là, dit

Rizzo d'une voix rogue. Ma pauvre patte... Va falloir que je la traîne encore. Pourtant, j'ai pas si besoin de quelques dollars. »

Ils entrèrent dans le hall du Times Square Palace.

« Mais c'est ici que j'habite, s'écria Joe.

— Qu'est-ce que tu dis là ?

— La vérité, Rico.

— Ça alors ! »

Il jeta un regard soupçonneux à son compagnon.

« Est-ce par hasard tu connaîtrais quelqu'un ici ?

— Personne. Je suis arrivé ce matin.

— T'es sûr ?

— Absolument sûr. »

Rizzo eut un drôle de sourire et répéta plusieurs fois : « Ça alors... »

Il s'approcha du standard téléphonique et demanda à la préposée de lui donner la chambre de Mr. O'Daniel. Cependant, il formait un cercle avec son index et son pouce et clignait de l'œil dans la direction de Joe.

La standardiste dit : « Je vous le passe ! »
Rizzo se précipita à l'appareil.

« Mr. O'Daniel ? Comment allez-vous, monsieur ? Enrico Rizzo à l'appareil... Oh ! moi, je
vous connais bien. On s'est vus plusieurs fois...
Mr. O'Daniel, j'ai ici un jeune homme, un
beau cow-boy. Il est prêt à... Je veux dire, il a
besoin de vous, très besoin. Pourriez-vous lui
trouver quelque chose pour cette nuit ? J'ai
jamais vu quelqu'un d'aussi pressé... Ça va ?
Chouette ! »

Il mit sa main sur le cornet et dit tout bas
à Joe : « Il a l'air ravi. Il doit avoir des com-
mandes et rien à livrer. T'as pas changé d'avis ? »

Joe fit non de la tête avec une telle véhémence
que tout le haut de son corps participa au mouvement.

Rizzo dit dans l'appareil : « Oui, Monsieur,
317. Merci, Monsieur, merci beaucoup. »

Il raccrocha.

« Qu'est-ce que je dois faire, Rico ? Monter
tout de suite ?

— Naturellement, chambre 317. Mais laisse-
moi te jeter un coup d'œil. » Rizzo fit deux pas
en arrière et regarda Joe avec beaucoup d'attention. « Ça ira, Bébé. Donne-moi les dix autres
dollars. »

Joe tendit à Rizzo le billet de dix dollars qu'il venait de prendre dans sa poche. Il serra chaleureusement la main de son camarade.

« Je te suis très reconnaissant, Rizzo. Si les choses tournent bien, je t'oublierai pas. Parole d'homme.

— Tu me dois rien. Ça fait toujours plaisir de dépanner un copain. » D'un geste preste, il fit disparaître l'argent. « Je te dis adieu, Joe.

— Moi, je te dis au revoir. Donne-moi ton adresse.

— Si tu veux. Je perche au Cherry Netherland Hotel. Lève ton cul, Joe. Le fais pas attendre. »

Joe ferma les yeux et appuya ses deux index sur ses tempes. « Cherry Neverlin, Cherry Neverlin, faut pas que j'oublie. » Lorsqu'il rouvrit les yeux Rico Rizzo avait disparu. Joe se regarda dans la grande glace du hall. Se trouvant un peu pâle, il se pencha, les bras ballants. On lui avait dit que c'était la meilleure façon de ramener de la couleur dans les joues. Il se peigna, enfonça sa chemise dans son pantalon et tira sur ses manchettes. Le sourire aux lèvres, il entra dans l'ascenseur.

Dès que Mr. O'Daniel ouvrit sa porte, Joe
eut l'impression qu'il était un petit garçon en
face de son père. Mr. O'Daniel ne pouvait être
que le père de quelqu'un. D'abord à cause de
son âge (bien qu'il ne fût pas *vraiment* vieux),
ensuite à cause de sa robe de chambre très
voyante, le genre de robe de chambre qu'un
enfant offre à son papa le jour de la Fête des
Pères.

Mr. O'Daniel était assez corpulent. Ce que
l'on remarquait d'abord chez lui, c'étaient les
yeux. Des yeux d'un bleu délavé comme en
ont les marins qui ont scruté l'horizon toute
leur vie. Sous ces yeux, il y avait de grosses
poches. Mr. O'Daniel devait souffrir du foie.
Il ramena sur lui sa somptueuse robe de chambre
— à dire vrai très râpée — et regarda Joe d'un
air absent. On aurait dit un naufragé qui a
pu rejoindre le rivage, mais qui ignore le sort
de ses enfants. « SONT-ILS VIVANTS, disaient les
yeux bleus, ES-TU L'UN D'EUX ? »

Ne sachant quelle contenance prendre, Joe se
contenta de dire : « Bonsoir, monsieur. Je
m'appelle Joe Buck. »

Mr. O'Daniel hocha la tête. Les yeux disaient

maintenant : « C'EST UNE DRÔLE D'HEURE POUR RENTRER CHEZ SOI, MAIS, DIEU MERCI, TU ES VIVANT. »

Il dit tout haut : « Joe Buck » et regarda le jeune homme avec l'attention d'un expert qui examine un tableau.

Joe esquissa un sourire. Il savait que c'était sa meilleure référence.

« On me dit que tu es un cow-boy. Est-ce que c'est vrai ?

— Non, monsieur. » Joe fut le premier étonné par sa franchise. Pour montrer qu'il ne manquait pas d'humour, il ajouta : « Je ne suis pas un cow-boy, mais je suis un excellent baiseur. »

La réponse ne fut pas celle qu'il attendait. Visiblement, il avait choqué Mr. O'Daniel. Celui-ci dit d'un ton sévère : « Mon garçon, on ne parle pas comme ça. Viens. Approche-toi. »

Joe jeta un regard à la pièce. Elle était minable avec ses murs sales d'où pendaient des lambeaux de papier peint. (Joe pensa à sa chambre à Houston.) De l'unique fenêtre qui donnait sur la cour montait une odeur nauséabonde. Etait-ce par économie que Mr. O'Daniel habitait une pareille chambre ou dans quelque but inavouable ? Le gros homme était assis sur le rebord du lit. Il dit d'une voix condescendante, la voix d'un père qui parle à son fils : « N'y allons pas par quatre chemins. Tu es venu ici pour une raison déterminée ?

— Oui, monsieur », dit Joe.

Il voulait réparer sa gaffe en se montrant aussi naturel que possible.

« Je vois. » Mr. O'Daniel ne quittait pas Joe des yeux. « Mon enfant, dit-il, tu ne ressembles pas aux garçons qui viennent généralement me voir. Ils sont gênés, ils rougissent, ils bafouillent. Toi, tu sais ce que tu veux et tu le dis.

— Autant être franc, monsieur.

— Mais je suis sûr que tu as quelque chose de commun avec les autres — son ton était celui d'un médecin ou d'un prêtre — je suis sûr que tu es *solitaire*. N'ai-je pas raison ? »

Il avait élevé la voix.

« Je... je... »

Joe aurait voulu trouver ses mots, ne serait-ce que pour gagner du temps. Il ne savait pas bien ce que l'autre attendait de lui. « Pas *trop*, monsieur. Un *peu*, peut-être.

— Nous y voilà ! C'est toujours l'excuse : « Je suis solitaire. » Il imita ses jeunes visiteurs. « Je suis solitaire et parce que je suis solitaire, je bois, je vole, prends de la coco, je fais le maquereau. » J'ai entendu ça cent fois. »

Joe comprit tout à coup que l'homme qui était devant lui était fou ou du moins qu'il avait un grain. Rizzo aurait dû le prévenir.

« L'Écriture est catégorique dit Mr. O'Daniel. — Il leva les yeux au plafond et commença à réciter : HEUREUX LES PAUVRES D'ESPRIT CAR LE ROYAUME DES CIEUX EST A EUX. HEUREUX CEUX QUI PLEURENT... L'Ecriture parle des pauvres d'esprit, de ceux qui pleurent, de ceux qui ont faim, mais elle ne dit pas un mot des solitaires. Le Royaume des cieux n'est pas pour eux ? Y as-tu jamais pensé ? »

Mr. O'Daniel s'était monté peu à peu. Ses yeux lançaient des éclairs. « Solitaire ? On n'est solitaire que parce qu'on le veut bien. Tout ça c'est du bla-bla-bla. Je te le dis, mon gars. Du bla-bla-bla. »

Il se mit à claquer des dents comme si la température était tombée de plusieurs degrés dans la pièce. L'homme n'était plus le même. Il avait reçu des nouvelles de ses enfants : TOUS NOYÉS.

« ...Ces gars n'en font qu'à leur tête, vivent n'importe comment et trouvent que c'est bien. Parce qu'ils sont *solitaires*. Mon Dieu, que j'en ai assez ! »

Il se tut, se leva du lit et fit quelques pas dans la pièce. Au bout d'un instant, il dit d'une voix plus calme : « Tout ça est dans saint Matthieu, chapitre v. Lis saint Matthieu, chapitre v. Le chapitre vi ne te fera pas de mal non plus. Lis saint Matthieu chapitre vi. Mais revenons à nos affaires. On me dit que tu es un cow-boy ? »

Heureux de le voir revenir sur terre, Joe dit : « Oui, monsieur.

— Nous avons besoin de cow-boys, grand besoin. »

Mr. O'Daniel le regarda avec plus d'attention encore que tout à l'heure. « Un beau garçon comme toi ne manquera pas de travail, je te le promets.

— Merci, merci beaucoup, monsieur. » Le
visage de Joe s'éclaira d'un sourire. Cet homme
qui tenait des propos décousus était sans doute
un brave type dans le fond.

« Fils, sais-tu ce que nous allons faire ?

— Ce que vous voudrez, monsieur. »

Mr. O'Daniel posa sa main sur l'épaule de
Joe et le regarda droit dans les yeux. « Fils, tu
n'es pas comme les autres. Je l'ai vu tout de
suite. Tu es un garçon merveilleux. Et j'ai une
idée, une très belle idée... »

Il leva la main comme un orateur qui demande le silence. « Si on s'agenouillait tout
de suite ? » Joe comprit ce qu'il n'avait fait
que pressentir lorsque Mr. O'Daniel avait ouvert la porte de sa chambre. Il eut la sensation
qu'un liquide vert et puant tombait goutte
à goutte dans ses veines. Mais il fallait jouer
le jeu. Il dit : « S'agenouiller où ? » Ses lèvres
étaient sèches. Il avait un goût de craie dans
la bouche.

« Ici, sur le tapis. Cette chambre est une
église. Il n'est pas un endroit en ce monde qui
ne soit une église. Et dans une église, on prie.
J'ai prié partout, dans les bordels, dans la rue,

sur la lunette des W.C. Ce qu'Il veut, c'est qu'on prie ! »

Joe s'agenouilla comme il lui était demandé, mais il n'y avait pas dans son esprit une seule pensée qui eût un rapport avec la religion.

VIII

Les yeux fermés, il réfléchissait. Il avait été la victime d'un filou. D'un filou, doublé d'un hypocrite. En ce moment l'homme disait : « Doux Jésus, pénétrez dans mon cœur. »

Joe ne put en supporter davantage. Il se leva et, sans dire un mot, quitta la pièce. Il ne se retourna pas quand, arrivé, au bout du couloir, il entendit Mr. O'Daniel qui criait : « Reviens ! Reviens ! Petit, n'aie pas peur ! »

Il descendit l'escalier quatre à quatre et se retrouva sur le trottoir devant l'hôtel. Ne sachant où diriger ses pas il enfila la Quarante-deuxième Rue, puis il parcourut presque en courant les Sixième et Huitième Avenues. Il ne se rappelait plus le nom de l'hôtel de Rizzo et il n'avait qu'une chance sur mille de tomber sur lui. Peu lui importait d'ailleurs.

Il avait fait son deuil des vingt dollars. Ce qu'il voulait, c'était passer sa colère sur quelqu'un ne serait-ce que pour se convaincre qu'il n'était pas un lâche.

Essoufflé, il s'arrêta au coin d'une rue. Il eut une vision. Sur le trottoir d'en face, un petit homme à l'allure grotesque vient d'entrer dans un débit de tabac. En hâte, il traverse la chaussée pour le rejoindre. C'est bien Rizzo. Il n'est pas du tout gêné. Il le regarde d'un air moqueur. S'emparer d'un couteau est l'affaire d'un instant. Mais il ne se décide pas à enfoncer la lame dans la gorge du gnome. Il préfère l'étrangler avec ses doigts. Le crime provoque un attroupement, déjà la police est là...

La vision s'évanouit. Joe ouvrit les yeux et vit une photographie de lui-même à la première page d'un journal. Cette fois, son imagination n'y était pour rien. Le journal était aussi réel que le kiosque à l'auvent vert où on le vendait. La photographie représentait un jeune homme que deux agents emmenaient au commissariat. Joe pensa : « Ça ne peut pas être moi. je n'ai tué personne. »

Mais il y avait la photographie.

Il acheta un de ces journaux et entra dans une *cafeteria* pour examiner la photographie dans une bonne lumière. Le jeune homme lui ressemblait comme un frère. Mais ce n'était pas lui. Il s'agissait d'un Géorgien qui avait tué onze membres de sa famille avec un fusil de chasse.

Joe fut très impressionné de voir un double de lui-même responsable de ce drame auquel la photographie du journal donnait une réalité affreuse. Il alla se regarder dans une glace placée derrière le comptoir. Il dit à son image : « Je n'ai tué personne et je ne tuerai personne. » Il haussa les épaules et sortit du restaurant, en faisant claquer ses talons. Mais le bruit de ses souliers ne lui apporta pas le réconfort habituel.

De retour dans sa chambre, il alla se poster devant un autre miroir. Il se regarda comme s'il se voyait pour la première fois. « Pas le genre de gars qui tue les gens, pensa-t-il. Incapable de tuer un rat. Pas même Ratso. C'est ainsi que les deux tantes l'avaient appelé. Ratso. Ratso Rizzo. Au diable Ratso Rizzo ! » Il tomba

sur son lit et s'endormit. Il ne s'était pas donné
la peine d'éteindre l'électricité.

Cette nuit-là, il eut plusieurs insomnies. Lorsqu'il s'éveilla définitivement, il était tard dans
l'après-midi, il ne savait pas exactement où il
était. D'ailleurs, qu'elle importance cela avait-
il ?

Pendant les jours qui suivirent, il vécut
comme un somnambule. Il se levait, allait aux
toilettes, sortait dans la rue, marchait, mais son
cerveau ne participait pas à ces différentes activités. L'idée que son argent fondait ne le préoc-
cupait pas outre mesure (la direction de l'hôtel
lui avait envoyé sa note et il l'avait jetée au
panier).

La nuit, il rêvait qu'il courait de grands
dangers : le car dans lequel il avait pris place
tombait dans un ravin, il était un alpiniste
perdu dans les neiges, un nageur épuisé au
milieu de l'océan. Dans la journée, il errait
dans les rues, la tête penchée vers le transistor
qu'il tenait sur son épaule. Le monde des
ondes le reliait à ce monde-ci. Il se mêlait aux
voix que le petit appareil lui transmettait, engageait la conversation avec des interlocuteurs

invisibles. « Croyez-moi, disait une vieille femme qui semblait gênée par son râtelier, la prochaine fois que vous aurez des douleurs, rhumatisme ou sciatique, ne vous plaignez pas. Vous payez le bonheur de vivre mieux. Pensez à ceux qui sont morts dans la fleur de l'âge. Jouissez de votre reste. Bonsoir. » « Ne vous en allez pas, grand-mère, suppliait Joe. J'ai une question à vous poser. On dit que vous faites *ça* debout ? Si c'est vrai, je tire mon chapeau. A votre âge ! »

Un jour, chez Rikcr, un garçon renversa de la sauce tomate sur sa veste de peau. Tandis qu'il cherchait à réparer le dégât, une idée lui vint : répandre de la sauce tomate autour de la tache afin de donner l'impression que l'effet était voulu. Mais quel motif choisir ? Il s'était emparé d'une bouteille de sauce tomate, mais il n'arrivait pas à prendre une décision. Il passa tout l'après-midi à contempler sa veste. Exemple entre cent autres de l'état comateux dans lequel il vivait.

Au début de septembre, Joe trouva en rentrant à l'hôtel la porte de sa chambre fermée à clef. Il se précipita à la réception. « Et ma valise ? — Elle a été mise en lieu sûr. On vous la rendra quand vous aurez payé votre note. »

Il lui fallait trouver un endroit où coucher. Ce n'était pas d'ailleurs ce qui l'inquiétait. Il ne pensait qu'à sa valise.

Dans la galerie de la station de métro de Times Square, il y avait des appareils automatiques avec de petites glaces. Joe alla se regarder dans une de ces glaces. Il voulait s'assurer que sa dernière aventure était réelle, qu'il ne l'avait pas rêvée. Un coup d'œil lui suffit.

« Cow-boy, cow-boy, dit au visage hébété que lui renvoya le miroir, tu n'es qu'un idiot. Finies les conneries. Tu sais ce qu'il te reste à faire.

— Est-ce qu'il le faut vraiment ?

— Tu veux ta valise ?

— Bien sûr que je la veux.

— Alors, vas-y. »

IX

Il se dirigea vers l'angle de la Huitième Avenue et de la Quarante-deuxième Rue et se joignit aux jeunes gens qui arpentaient le trottoir ou regardaient les devantures d'un air détaché. « Ils ont « le don » — il faut le don — et ils connaissent le travail », se dit Joe. Lui n'avait sans doute pas le don et il ignorait tout du travail. Devait-il attarder son regard sur le client qui ne l'intéressait pas. Pourquoi aborder un passant plutôt qu'un autre ? Et, une fois la conversation engagée, que dire ? Que ne pas dire ? Devait-il planter le type là ou lui demander davantage ? Il manquait d'expérience et il manquait de concentration. Des pensées qui n'avaient rien à voir avec le but poursuivi tournaient dans sa tête. Il se demanda à plusieurs reprises — alors son esprit devenait la proie d'une tristesse paralysante — si la poursuite du succès n'était pas pire que l'acceptation de l'échec. Mais il y avait la valise...

Adossé à la vitrine d'un pharmacien, il réfléchissait. La valise et les lettres qu'elle contenait justifiaient-elles un pareil effort de sa part ? Les lettres sans doute pas. Il les avait tant relues qu'il les avait vidées de leur contenu. Mais la valise ! Cette valise, depuis qu'on la lui avait confisquée, tenait à toutes les fibres de son être. Elle était son trésor secret, son dernier refuge. Il s'y glissait en imagination et refermait le couvercle sur lui. Toutes les odeurs de son enfance se mêlaient aux relents de la peau de porc : l'odeur de fumier du ranch, l'odeur du tabac à priser de Woodsy Niles, l'odeur du sac à main de sa grand-mère, l'odeur de la Ford 36 de quelqu'un. Il était à peine croyable qu'une valise achetée quelques semaines plus tôt à Houston pût lui rappeler tant de souvenirs. Mais, c'était un fait et, pour Joe, une seule chose comptait : la récupérer.

Au cours des deux heures et demie que Joe passa au célèbre carrefour, il n'adressa la parole qu'à deux « acheteurs » possibles. Mais

ceux-ci, bien que visiblement séduits par son
apparence, passèrent leur chemin lorsqu'il leur
parla de la somme exigée par la direction de
l'hôtel pour la restitution de sa valise. Il s'apprêtait à abandonner la partie quand il fut
accosté par un gros garçon : un étudiant portant des lunettes, qui ne paraissait pas avoir
plus de dix-sept ans. A la grande surprise de
Joe, il n'éleva aucune objection au sujet du
prix. « T'as vingt-sept dollars sur toi ? » demanda Joe. L'expérience l'avait rendu soupçonneux. « Bien sûr que oui. Ma mère me donne
tout ce que je veux. »

Le gamin qui portait ses livres de classe à
la main entraîna Joe dans des rues toujours
désertes. Il connaissait « un endroit ». Arrivé
à une impasse de « Hells Kitchen[1] », il pénétra
dans un immeuble d'aspect très louche. Le vestibule et les paliers du premier et du second étage
puaient le pipi de chat, mais à mesure que les
deux complices montaient les marches branlantes
de l'escalier, l'odeur se dissipait et, une fois
sur la terrasse, Joe fut agréablement surpris

1. Surnom d'un quartier mal famé de New York situé entre la
Neuvième Avenue et l'Hudson. (*N. du T.*)

par une bouffée d'air pur qui vint frapper son
visage. Il se pencha au parapet, voulant, avant
de commettre un acte qu'il considérait comme
une vilenie, jouir de la beauté de cette nuit du
solstice d'été. Entendant des hoquets, il se retourna. Le gamin était en train de vomir à
ses pieds. « Je regrette que ça te fasse cet effet-
là, dit Joe, mais j'peux rien. Donne-moi mon
fric.

— Je l'ai pas, monsieur. J'ai menti. Qu'est-ce
que vous allez me faire ? »

Joe se retint de lui flanquer une gifle. « Retourne tes profondes. »

L'autre obéit. Il n'y avait rien dans ses poches, qu'un portefeuille usé contenant la photographie de ses parents, un mouchoir sale et
deux billets de métro. Mais il avait un bracelet-
montre. « Qu'est-ce qu'il vaut ? » demanda
Joe. La question épouvanta le gamin. Il se mit
à pleurer. « Je ne peux pas rentrer à la maison
sans ma montre. Ma mère me l'a donnée pour
ma première communion. Elle me tuera, je
suis sûr qu'elle me tuera. » Il tomba aux genoux
de Joe. « Je vous en supplie, pas la montre !
Prenez mes livres si vous voulez. »

Joe quitta la terrasse et descendit l'escalier.
A chaque palier, il entendait la voix pleurni-
charde du gamin qui disait : « Je regrette, je
regrette, monsieur. » Et Joe était sûr qu'il
était sincère.

Il marcha longtemps dans l'espoir de décou-
vrir un endroit où il n'y aurait personne, ce qui
est presque impossible à New York quand on n'a
pas d'argent. Il allait vers l'ouest de la ville, là
où il savait que se trouvait le fleuve, un fleuve,
qui, à n'en pas douter, communiquait avec
d'autres fleuves, peut-être même avec son cher
Rio Grande. Il comptait s'asseoir sur la berge
et laisser tremper ses pieds dans l'eau. Malheureusement, il ne put arriver jusque-là. Les
entrepôts des Compagnies de Navigation barraient le chemin. Force lui fut de retourner
sur ses pas. Bientôt il arriva à un terrain vague
où étaient parqués des dizaines, peut-être des
centaines de camions. En trouvant un dont le
toit était ouvert, il y grimpa. Dans son imagination, il se voyait déjà en route pour quelque part. Le camion ne démarrant pas — il
n'avait aucune raison de démarrer — il s'étendit
sur le dos. Il retira ses souliers et les renifla.

Ils commençaient à sentir mauvais. Des temps difficiles les attendaient, ces beaux souliers ! Bientôt, ils perdraient tout leur éclat et ce serait le comble de la déchéance. Ah ! ne plus penser à cette horreur qu'est la vie. Concentrer son attention sur les étoiles qui brillaient au-dessus de sa tête ! Se dire que le monde des astres ne nous est pas plus étranger que celui-ci. Il avait fait un rêve autrefois. Les hommes parcouraient le monde attachés à une chaîne d'or... Qu'est-ce qui est réel en ce monde ? Ah oui, son transistor. On le lui avait laissé, Dieu merci. Il n'osait pas s'en servir, car cela aurait usé la pile, mais du moins il pouvait respirer l'odeur de cuir que dégageait l'étui.

X

Septembre approchait de sa fin. Bientôt la question du froid se poserait et celle, plus angoissante encore, du manque d'argent. Jusqu'à présent la température avait été clémente et il restait à Joe sept dollars. Inutile de dire qu'il économisait chaque sou, telle une veuve chargée d'enfants. Il avait appris à se nourrir à bon marché. Les distributeurs automatiques offrent des sandwiches pour vingt *cents*. A l'A et P, on se remplit les poches de raisins et de carottes, et on peut voler des pommes et des pêches aux étalages de la Neuvième Avenue ainsi que des chaussons aux pommes chez les pâtissiers juifs. A ce régime, Joe perdit quelques kilos. Il n'éprouvait aucune fatigue, mais des cernes bleus étaient apparus sous ses yeux ; il avait passé trop de nuits dans des camions, dans les salles

de cinéma ou sur les bancs de la gare de Pennsylvanie. Il évitait les miroirs pour ne pas
voir son visage devenu ascétique comme celui
d'un saint. Il cherchait surtout à être propre.
Du savon et un vieux rasoir dans sa poche, une
brosse à dents dans une chaussette, il entrait
dans les lavabos d'une *cafeteria* ou d'un bar
et procédait à sa toilette. Il se lavait régulière-
ment les parties sexuelles et il trempait ses
pieds dans une cuvette chaque fois qu'il en
avait l'occasion. Si on le surprenait au milieu
de ses ablutions, il n'en éprouvait aucune gêne.
La propreté est une règle qu'un homme doit
observer en toutes circonstances et Joe avait la
certitude qu'il ne survivrait que s'il prenait
grand soin de son corps.

Il n'avait rien à faire, mais le temps n'en
passait pas moins. Il traînait devant les comp-
toirs des « Prix-Unic » (voler une paire de
chaussettes ne devait pas être bien difficile...)
ou bien il restait une heure à contempler la
vitrine d'un coiffeur. (Se faire couper les cheveux en se privant de quelques sandwiches ?...)

Il était toujours à la recherche de quelque
chose qui aurait paru futile aux yeux d'un

autre mais qui aux siens était très important.
Il pensait parfois à chercher un emploi, mais
l'idée ne faisait que lui traverser l'esprit. Quand
il s'arrêtait dans la rue pour regarder quelqu'un qui travaillait, par exemple un homme
qui roulait la pâte à la devanture d'une *pizzeria*,
il se disait : « Qu'est-ce qu'il fait celui-là ? A
quel jeu se livre-t-il ? Pourquoi a-t-il besoin
d'argent ? Famille à entretenir ? Loyer à payer ? »
Pour Joe, toutes les valeurs étaient faussées et
il ne le savait que trop. Il se posait des questions et les réponses qu'il leur donnait ne le
satisfaisaient pas. La vraie réponse était cachée
dans un repli de son cerveau. Parviendrait-il
un jour à l'en faire sortir ?

Une nuit où il pleuvait à torrents — sa dernière nuit solitaire, mais il ne le savait pas —
il décida de sacrifier soixante-cinq *cents* pour
dormir à l'abri. Il entra dans un cinéma de la
Quarante-deuxième Rue. On y donnait un film
de science-fiction. Le scénario s'adaptait parfaitement aux rêves de Joe. Les habitants de
la Terre avaient été transplantés sur une planète
lointaine où ils obéissaient avcuglément à une
Voix venue de nulle part. Les mêmes images

étaient déjà passées plusieurs fois devant les yeux de Joe. Il somnolait, mais chaque fois que la Voix criait : « HOMME DE LA TERRE ! », il sursautait comme si elle avait crié : « JOE BUCK ! »

Le lendemain, les gens qu'il rencontra dans la rue ne lui parurent pas liés à la planète terre de la même manière. Lorsqu'il voyait un vieillard se pencher sur une boîte à ordures, un enfant traverser la chaussée en courant ou un bijoutier regarder fixement sa vitrine il se disait tout bas : « HOMME DE LA TERRE » et la vision qu'il emportait de ces êtres n'était pas celle qu'il aurait eue avant d'entrer dans le cinéma et d'entendre la Voix.

Il passa devant une glace apposée à l'entrée d'un magasin. L'image que lui envoya le miroir était celle d'un beau garçon brun au regard las. C'était lui, bien sûr, mais il se prit à murmurer : « HOMME DE LA TERRE, HOMME DE LA TERRE. » Il eut beau répéter les mots incantatoires, le miracle ne se produisit pas. C'était le Joe Buck de toujours qui le regardait d'un air hagard.

Au coin de la Quarante-deuxième Rue, il fut très surpris de voir Mr. O'Daniel en train

de haranguer la foule. Il tenait un drapeau
américain dans sa main gauche et faisait de
grands gestes avec sa main droite. Il était en
train de dire : « J'ai parcouru ce pays dans
tous les sens et je n'ai vu que des choses qui
m'ont dégoûté : des gens solitaires, hommes ou
femmes, jeunes ou vieux, en proie au plus
noir désespoir. Et les enfants ! Même quand
ils jouent ils savent que leur avenir sera un
avenir de solitude. Occupez-vous des enfants,
messieurs dames. Occupez-vous des enfants pour
que nos villes ne deviennent pas des Sodome et
des Gomorrhe. Connaissez-vous saint Matthieu ?
Connaissez-vous le Sermon sur la Montagne ? »

Il était clair que Mr. O'Daniel ne s'arrêterait
pas de sitôt. Joe s'éloigna, mais les paroles de
l'orateur parvenaient jusqu'à lui. « Vous êtes
le sel de la terre, et le sel ne doit pas perdre
sa saveur. C'est Jésus qui l'a dit. Moi je dis :
« Faisons en sorte que la solitude ne nous ôte
pas la saveur. »

Joe avait traversé la chaussée. Sur l'autre
trottoir, Mr. O'Daniel jouait maintenant une
scène muette. Il agitait son drapeau et ouvrait
la bouche d'où aucun son ne sortait. Les gens

rassemblés autour de lui ne paraissaient pas l'intéresser. Il regardait au-dessus de leurs têtes comme s'il avait attendu l'arrivée de quelqu'un. Qui cela pouvait-il être ? Une femme ? Un enfant ? D'où cette personne pour laquelle il parlait viendrait-elle ? De New Jersey ? De la Huitième Avenue ? De l'Ouest ? Ou du ciel ?

La vue de cet homme illuminé attendant une visite de nulle part n'était pas comique; elle était sinistre. Joe eut un frisson et murmura : « HOMME DE LA TERRE. » Il pressa le pas, ne souhaitant qu'une chose : oublier ce qu'il avait vu.

Ce même après-midi, un événement se produisit qui allait changer sa vie. Il rencontra dans une rue de Greenwich Village le petit escroc boiteux, Rico Rizzo.

XI

Rico se trouvait derrière la porte vitrée du
Nedick de la Huitième Rue. Il reconnut Joe
et ferma les yeux, comme si ce mouvement de
paupières eût eu le don de le rendre invisible.

Joe qui depuis trois semaines vivait dans la
plus complète solitude eut un petit choc au
cœur en voyant un visage connu. Il lui fallut
quelques instants pour se rappeler que Rico
Rizzo était un ennemi. Poussé par on ne sait
quel instinct — peut-être celui de la conserva-
tion — il poussa la porte et entra dans l'établissement.

Il posa sa main sur l'épaule du gnome. Celui-
ci se fit tout petit.

« Ne me frappe pas, dit-il. Je suis un infirme.

— Je vais pas te frapper, dit Joe. Je vais
t'étrangler. » Sa colère était feinte. Le plaisir

qu'il avait éprouvé il y a un instant ne l'avait pas encore quitté. « Mais d'abord, retourne tes poches. Commence par celle-ci. » Rico obéit en pleurnichant. La fouille produisit :

64 *cents.*

Deux tablettes et demie de chewing-gum.

Sept cigarettes Raleigh à demi écrasées.

Une boîte d'allumettes.

Deux reçus du mont-de-piété.

« Et dans tes chaussettes ? dit Joe.

— Pas un sou. » Il leva les yeux comme pour prendre le Ciel à témoin. « Je jure devant Dieu. Je le jure sur la tête de ma mère.

— Si je m'aperçois que tu caches quelque chose, je t'étends raide. » Il posa le contenu des poches de Rico sur la table.

« Prends les 64 *cents,* Joe. Je te les donne.

— J'en veux pas. Ils sont tout gluants. Est-ce que tu as bavé dessus ? Remets-les dans ta poche. »

Joe se dit que du moment qu'il ne tirerait rien du sale petit rat, le mieux était de prendre le large. Or il restait à se balancer d'un pied sur l'autre, ne sachant pas exactement quoi faire. Se venger ? Il n'en avait aucune envie. Se remettre à déambuler dans les rues ? La solitude lui paraîtrait plus pesante désormais.

Rico parlait. Il parlait de la nuit où ils s'étaient connus. Il cherchait à excuser sa conduite. Joe dit : « Si j'ai un conseil à te donner, c'est de ne plus m'emmerder avec cette nuit.

— T'emballe pas, vieux. Parlons d'autre chose. Où niches-tu ? Toujours au Times Square Palace ? »

Entendant le nom du Times Square Palace, Joe eut un pincement au cœur. Sa valise ! Il l'écartait de sa pensée depuis quelques jours. Mais, qu'elle était belle ! Mon Dieu, qu'elle était belle ! Tout à coup, il comprit qu'il ne la reverrait pas. La joie qu'il avait éprouvée en revoyant Rico s'évanouit. Il serra les dents pour dissimuler un rictus, se leva et sortit de la salle.

Il était déjà engagé dans la Neuvième Rue quand il entendit qu'on l'appelait. Il se retourna. Rico arrivait vers lui de toute la vitesse de ses jambes inégales. Joe aurait voulu être seul, mais il savait que s'il pressait le pas le nabot n'en courrait que plus vite. Ce spectacle lui était d'avance insupportable. Il ralentit.

Quand l'autre l'eut rejoint, il dit : « Fous-moi la paix, je t'ai assez vu.

— Où niches-tu, Joe ? Est-ce que t'as un endroit ?

— La barbe !

— Parce que, moi, j'en ai un.

— Si tu t'approches, je te casse la gueule. »

Rico ne se démonta pas. « Je t'invite, dit-il, je t'invite chez moi.

— Tu m'invites chez toi ?

— Ouais.

— Où c'est ?

— Viens, tu le sauras. »

Ils se mirent à marcher. Joe dit : « Je veux pas habiter avec toi. Je suis pas cinglé, non ? »

Rico fit comme s'il n'avait pas entendu. « C'est pas chauffé mais quand l'hiver viendra, je serai en Floride. Alors, je m'en fous. »

Joe dit : « Si j'habitais avec toi, tu me volerais mes dents pendant que je dors.

— Je n'ai pas de lit, mais j'ai des couvertures. De quoi étouffer un cheval.

— Tu m'étoufferais avec, salaud. Essaie seulement.

— J'ai pas d'électricité non plus, mais on s'en tire très bien avec des bougies. »

Petit à petit, Joe comprenait dans quelles conditions vivait Rico.

A New York il y a toujours des immeubles qu'on démolit. Le propriétaire oblige les locataires à déguerpir et appose un grand X blanc sur les fenêtres de l'appartement qui vient d'être évacué. Rico vivait dans ces appartements X — c'était ainsi qu'il les appelait. Il parcourait les rues, cherchant des yeux des fenêtres marquées d'un X. Il lui arrivait d'avoir à fracturer une serrure mais, généralement, les portes de l'appartement étaient ouvertes. Il avait quelquefois la chance de trouver sur place un sommier déglingué ou une vieille chaise. Cela, joint aux quelques effets personnels qu'il avait apportés, lui donnait l'impression d'être chez lui. Il y restait jusqu'à ce que le propriétaire s'aperçoive de sa présence, ou qu'il coupe l'eau une fois le dernier locataire parti.

En ce moment, il logeait dans une grande maison de la Vingtième Avenue, dans le quartier porto-ricain. Il introduisit Joe dans une petite pièce du second étage qui donnait sur une cour

ensoleillée. Joe trouva l'endroit plus sympathique que ceux où il avait passé la nuit ces
derniers temps. Le mobilier n'était composé
que d'une table et d'une chaise mais, dans un
coin, il y avait un amas de couvertures de toutes
espèces.

Rico semblait impatient de révéler à Joe les
charmes de son installation; déjà il faisait bouillir
de l'eau sur un réchaud à gaz afin de lui offrir
une tasse de café. Joe était allé s'étendre sur le
tas de couvertures. « C'est pas si doux que ça »,
dit-il d'une voix pâteuse. Il s'apprêtait à ajouter
quelque chose, mais ses yeux s'étaient fermés.
Un instant plus tard, il dormait profondément.

Il se réveilla, ne sachant pas très bien où il
était. Il avait le visage tourné contre un mur sur
lequel la lueur d'une bougie projetait de grandes
ombres. Il se mit sur le côté. A quelques centimètres de lui, il y avait deux jambes gainées
de velours côtelé marron, dont l'une était plus
longue que l'autre. Il se rappela : « Ratso ! »
Le gnome, assis le dos au mur, regardait le
transistor qu'il avait posé sur ses genoux. Joe le
lui arracha des mains.

« Où sont mes pompes ? demanda-t-il.

— Là, sous la table.

— Qui me les a retirées ?

— Moi.

— Pourquoi ?

— Pour que tu sois plus confortable. »

Joe se dirigea vers ses souliers et en saisit un.

« Je vais me tirer d'ici, dit-il.

— Qu'est-ce qui te prend ? » dit Rico.

Joe regardait alternativement le soulier qu'il tenait à la main et le gnome accroupi devant lui. Il hésitait. Prendre une décision lui coûtait toujours une peine infinie. Il se disait que Rico était un voleur — cela ne pouvait faire aucun doute — mais un voleur n'est dangereux que si l'on possède quelque chose qui vaut la peine d'être volé. S'il jugeait bon de passer la nuit ici, il n'aurait qu'à mettre le transistor sous son oreiller. Rico ne pouvait rien espérer d'autre de lui. Ses souliers ne pouvaient être d'aucune utilité à quelqu'un dont les deux pieds n'étaient pas de la même taille et il n'avait pas l'air d'une tante. Alors pourquoi ne pas rester et dormir tout son saoul pour une fois ? Joe s'y résolut, mais avant de com-

muniquer sa décision à Rico, il fallait lui faire
peur, très peur. Il dit de sa voix la plus dure :
« Tu veux que je passe la nuit ici ? Tu sais que
tu risques gros ?

— Pourquoi ?

— Parce que je suis très dangereux. Zigouil-
ler un mec, ça me fait pas peur. »

Il regarda Rico pour juger de sa réaction.
L'autre haussa les épaules.

« C'est la vérité, Ratso. Quand un gars m'a
fait du mal — et tu m'en as fait — je cherche
à le supprimer. Te v'la prévenu. »

L'autre ne bronchant pas, Joe poursuivit :
« Peut-être que je me fais mal comprendre.
Veux-tu que je t'en dise plus ?

— Inutile. T'es dangereux ? T'es un tueur ? »

Joe fit signe que oui. Il était content de lui.
Il avait mis les choses au point.

« Est-ce que tu veux toujours que je passe
un jour ou deux ici ?

— Nom de Dieu ! Je t'ai dit que t'étais mon
invité.

— Te fâche pas. Je voulais seulement que
tu saches. »

Joe laissa tomber son soulier et se dirigea

vers la pile de couvertures. Rico s'approcha et tendit à son hôte une Raleigh à demi écrasée qu'il avait tirée de sa poche. Il lui tendit aussi la bougie. Les deux hommes fumèrent quelque temps en silence, puis Rico dit : « T'as tué quelqu'un ?

— Pas encore. Mais j'ai dérouillé un gars qui est pas près de l'oublier. » Joe raconta ce qui s'était passé entre lui et Perry dans le bordel de Juanita Barefoot. « J'étais comme fou, tu sais. Dans ces cas-là, je connais pas ma force. Ce fils de putain a bien failli passer l'arme à gauche. Comme toi l'autre soir. J'ai couru après toi avec un couteau. J'allais m'en servir. Tu t'en doutais pas, hein ? Les flics m'ont arrêté. J'ai passé la nuit en tôle. Si y avait pas eu les flics, Ratso serait plus de ce monde.

— Est-ce que tu crois que ça m'aurait emmerdé ?

— Quand tu passes à côté d'un flic, tu ferais bien de lui envoyer un baiser. La vie, ça a du bon. T'appuie pas comme ça sur moi, Ratso, tu m'étouffes. »

Rico s'écarta un peu et dit : « Puisque t'es mon invité, je vais te demander quèque chose.

— J'ai les moyens de rien donner.

— Oh ! c'est pas grand-chose ! Je voulais seulement que tu m'appelles pas Ratso, en tout cas pas ici, chez moi. Mon nom est Enrico Salvatore Rizzo.

— C'est trop long.

— Alors, appelle-moi Rico.

— Va dormir, dit Joe.

— T'es d'accord ? » insista le gnome.

Joe leva la tête et hurla : « Rico ! Rico ! Rico ! Est-ce que ça te suffit ? » Il tourna sa tête vers le mur. « Et ôte tes pattes de ma radio, s'il te plaît. »

Au bout d'un instant, Rico dit « bonsoir » d'une voix timide. Mais Joe n'était pas d'humeur à échanger des amabilités. Il fit comme s'il dormait déjà.

XII

CE fut cette nuit-là que se scella leur amitié.
Septembre tirait à sa fin. On les vit — le spectacle était devenu familier aux habitants de
Manhattan — parcourir les rues en quête
d'une occasion, un peu comme les enfants qui
cherchent à attraper un oiseau en lui mettant
du sel sur la queue. Ils attiraient l'attention
parce qu'ils étaient aussi mal assortis que possible : l'un très grand et très brun, l'autre pâle
et haut comme trois pommes, ayant l'air d'une
sauterelle blessée.

Rico passait ses nuits à réfléchir, en buvant
du café et en fumant (personne ne savait comme
lui se procurer pour presque rien et souvent
gratis ces deux denrées indispensables, cigarettes
et café). Parce qu'il était le capitaine de
l'équipe — il se considérait comme tel — c'était

à lui qu'incombait la responsabilité de pourvoir à leur vie matérielle.

Devant les expédients qu'il proposait à Joe, celui-ci, dont la nature était pessimiste, commençait par hocher la tête. Il n'en finissait pas moins par le suivre en camarade dans des expéditions parfois hasardeuses. Quand celles-ci ne tournaient pas à leur avantage, il acceptait avec magnanimité les excuses qui lui étaient présentées. Son détachement — qu'importait un échec de plus ou de moins ? — avait une autre cause : il était heureux.

Pour la première fois de sa vie, il n'avait pas besoin pour se faire remarquer, de sourire et de prendre des poses. Il avait trouvé en Rico Rizzo quelqu'un qui avait pour lui de l'adoration, quelqu'un qui ne pouvait se passer de sa présence. C'était là un baume sur sa vieille plaie. Il jouissait de son pouvoir comme un enfant affamé qui se trouve devant une montagne de sucre d'orge. Il ne se faisait pas faute de grogner et de jurer, car du charme qu'on exerce on abuse presque toujours. C'était pour Joe une sensation exquise et un peu écœurante qu'il n'avait jamais éprouvée. Le gnome

acceptait sans se plaindre rebuffades et injures.
On aurait dit qu'il ne souhaitait qu'une chose :
occuper une toute petite place dans l'ombre
du cow-boy.

Joe aimait à écouter son camarade qui avait
la parole facile. Leurs entretiens — c'était surtout un monologue — avaient lieu dans la rue
ou dans une *cafeteria* où ils s'arrêtaient pour
boire quelque chose de chaud. Car le temps
s'était sérieusement refroidi. Peu à peu, Joe se
faisait une idée de ce qu'avait été la vie de
son camarade dans le Bronx.

Il était le treizième enfant d'un père et d'une
mère, émigrants tous les deux. Il avait quitté
sa famille à seize ans. De son père, il gardait
le souvenir d'un maçon très courageux qui,
son travail terminé, s'endormait chaque fois
qu'il trouvait quelque chose de plus ou moins
horizontal sur quoi s'étendre. De sa mère, le
souvenir d'une femme épuisée par de nombreuses maternités, qui était presque toujours couchée. Du fond de son lit, elle faisait marcher
la maison en donnant des ordres contradic-
toires. Il lui arrivait de jeter un châle sur ses
épaules et de parcourir le logement pour essayer

de réduire le désordre qu'elle avait créé. Au cours d'une de ces incursions, elle trouva le petit Rico (il avait sept ans) couché sous le fourneau de la cuisine et toussant à fendre l'âme. Il se remit de cette pneumonie, mais il eut quelques semaines plus tard une attaque de poliomyélite qui le retint un an à l'hôpital. Lorsqu'il revint à la maison, sa mère était morte. Ses trois sœurs et deux de ses neuf frères s'étaient enfuis pour se marier ou dans d'autres intentions. Des huit garçons qui restaient à la maison, aucun ne se souciait de la conduite du ménage, pas plus d'ailleurs que papa Rizzo lui-même. Pendant la semaine, les garçons se saisissaient de ce qu'ils pouvaient trouver dans le réfrigérateur et, le dimanche, leur père les emmenait dans un bistrot italien du quartier. Le patron en le voyant entrer suivi de sa progéniture s'écriait : « ECCO CHE ARRIVA RIZZO ! PRENDE LA TAVOLA PIU GRANDE DEL LOCALE ! » Petit à petit, les déjeuners dominicaux eurent moins de succès. Le maçon, dont le caractère s'aigrissait en vieillissant, profitait de l'occasion pour distribuer force taloches. Ses fils se défilaient les uns après les autres et un jour papa Rizzo se trouva attablé devant le seul Ricco. Une table pour deux, quelle honte ! Il donna un coup de poing qui renversa les verres et hurla : « SONO RIZZO ! IO PRENDO LA TAVOLA PIU GRANDE DEL LOCALE ! » Le patron accourut et embrassa le vieil homme vingt fois. Rico et son père rentrèrent à la maison sans échanger une parole. Dès qu'il eut franchi la porte du modeste logement, papa Rizzo se rejeta en arrière comme si, réveillé de la plus longue de ses siestes, il venait de s'apercevoir que sa famille avait été égorgée par des bandits et que les murs étaient couverts de sang. « DOVE SONO DIEI RAGAZZI TERRIBLI ? » Il répéta plusieurs fois la même phrase et se mit à pleurer.

Les déjeuners au restaurant se poursuivirent. Papa Rizzo buvait une demi-bouteille de Chianti à lui seul. Sur le chemin du retour, il s'appuyait sur l'épaule de Rico qui trouvait le fardeau bien lourd. Un après-midi d'été, le jeune homme tomba sur la chaussée, entraînant son père dans sa chute. Lorsqu'il parvint à se dégager, il constata que le vieux ne respirait plus.

Rico se retrouva seul. Il avait seize ans et

il ignorait tout de la vie. Mais il avait l'esprit éveillé et, comme la plupart des enfants de famille nombreuse, il mentait avec une grande facilité. Il prit la rue.

Rico parlait du Bronx. Il parlait de Manhattan. Il parlait de presque tous les pays sous le soleil et particulièrement de la Floride. Non pas qu'il connût la Floride, mais il possédait des dépliants en couleurs consacrés à la région et un livre intitulé : *La Floride et la mer des Caraïbes.* A l'entendre, deux choses indispensables à l'humanité se trouvaient dans ce pays béni. Le soleil et le lait de noix de coco. Le tout était de ne pas en abuser. Le soleil, on s'en protège avec des chapeaux à larges bords et des lunettes fumées, mais le lait de noix de coco qui, comme chacun sait, est un aliment complet, risque toujours de vous donner une indigestion. « T'as faim, vieux ? T'attrapes une noix. Y en a tellement que les municipalités arment des flottes de camions pour les envoyer à l'étranger; tu l'ouvres avec un couteau et tu la portes à ta bouche. Eviter seulement que le lait dégouline sur ta figure. On prend vite le tour de main. Regarde, c'est pas plus diffi-

cile que ça. » Et Rico faisait une démonstra-
tion avec une noix de coco imaginaire. « Pour
ce qu'est de la pêche, t'as besoin d'aucun acces-
soire. T'as qu'à te tenir au bord de l'eau et
à dire : « Petit, petit... » Deux énormes créa-
tures munies de nageoires se précipiteront toutes cuites dans tes bras. » Une odeur de poisson
venait flatter les narines de Joe. Pour ne pas
laisser tomber une conversation aussi agréable,
il posait de temps en temps une question. « Dis-
moi, bonhomme, où dort-on ? Les appartements X, ça existe en Floride ? » Rico avait
réponse à tout. Il vantait les kilomètres de sable
chaud; les jours de mauvais temps, on n'avait
qu'à choisir parmi les nombreux bungalows des
milliardaires.

On ne vit pas toujours dans un rêve. Se
nourrir était le grand problème. Rico n'ad-
mettait pas que l'on travaille à la façon dont
l'entend la société. A dire vrai, trouver un
emploi régulier aurait été difficile pour des
clochards de leur espèce. Aussi bien, il leur
manquait l'esprit de discipline que personne
ne leur avait inculqué. Mais, vivre au jour le
jour est épuisant pour le corps et pour l'esprit.

Rico avait vite réalisé que Joe était incapable
de tirer de l'argent des femmes. La profession
exige des dons particuliers. Et aussi une garde-
robe appropriée. Les New-Yorkaises, contraire-
ment à ce qu'avait pensé Joe, n'aiment pas le
style cow-boy. Sa façon de s'habiller ne pouvait attirer que les homosexuels, et encore seulement certains masochistes. (« Ne me demande
pas d'explications, vieux, tu comprendrais pas. »)
Parfois, parce que la faim se faisait sentir,
Rico prenait pour Joe un rendez-vous à cinq
ou six dollars, étant bien entendu qu'il n'aurait
qu'à ouvrir sa braguette et à rester quelques
minutes debout. Mais ces séances, pour rapides
qu'elles fussent, avaient un effet déprimant
sur le pauvre garçon. Il avait le sentiment
que les termes du marché avaient été mal
conclus et peut-être mal respectés. Son comportement — il n'ouvrait pas la bouche pendant
plusieurs jours — désolait Rico qui n'en
reconnaissait pas moins que c'était une piètre
façon de gagner quelques dollars. La prosti-
tution, disait-il, est une profession ingrate et
souvent peu rémunératrice. La meilleure façon
d'en tirer un profit intéressant est de détrousser

le client, mais cela exige un sens de l'oppor-
tunité et une adresse dont son camarade était
dépourvu, si bien qu'il jugeait inutile de lui
demander de donner de l'extension à son acti-
vité.

Rico aurait possédé toutes les qualités requi-
ses pour faire un gigolo n'eût été sa boiterie
(« Prends le pédé moyen, il veut pas d'un
infirme »). Restait le vol à la tire, mais là
encore il était handicapé. Trop souvent, il était
pris la main dans le sac par un homme deux
fois plus grand et plus fort que lui dont il
devait implorer la pitié. C'était humiliant au
possible. Il préférait employer une autre
méthode qui consistait à engager la conversation dans un bar avec un étranger et de saisir
l'occasion de lui voler son argent. Mais cela
impliquait beaucoup de temps perdu. Et le
jeu n'en valait pas toujours la chandelle.
Après avoir passé une heure ou plus à parler
de choses insignifiantes, il lui arrivait de se
retrouver avec quelques *cents* dans sa poche
et une ou deux canettes de bière dans sa ceinture.

Joe était absolument opposé à cette manière

d'agir (« Ça me donne envie de dégueuler »), et Rico devait inventer une histoire à dormir debout pour qu'il accepte de partager les fruits du larcin.

Malgré tant d'heures pénibles, Joe nageait dans le bonheur. Il ne craignait qu'une chose : retomber dans sa solitude.

Deux mois s'écoulèrent : octobre et le triste et froid novembre. Joe devenait de plus en plus nerveux. Les jours se succédaient sans apporter du nouveau et cette monotonie avait en soi quelque chose de très déprimant. La nuit, il faisait presque toujours le même rêve : Manhattan était devenu un cachot dont les murs se rétrécissaient sans cesse. Un matin, il ne se réveillerait pas, les murs l'auraient étouffé.

Les deux hommes attrapaient rhume sur rhume, Rico en particulier. Il avait maintenant une voix de basse qui paraissait comique chez un être aussi frêle. Il avait perdu tout appétit. Il se nourrissait d'une sardine ou d'un fruit. En revanche, il n'arrêtait pas de boire du café et surtout de fumer. Joe se disait qu'il devait y avoir dans le tabac une substance vitale que seul Rico était capable d'assimiler.

Novembre est un mois cruel pour ceux qui errent continuellement dans les rues. Passer le plus d'heures possible dans l'appartement X aurait été évidemment une solution, mais pouvaient-ils espérer qu'un magicien frappe à la porte et dépose devant eux un plateau chargé de victuailles ? L'ombre que projetait dans la pièce le grand X de la fenêtre leur paraissait chargée de signification : « Ne crevez pas ici, les amis, sortez, même s'il fait froid et si vous vous sentez très mal. »

A en juger par les étalages des magasins et le visage réjoui des passants, Noël approchait. Mais ce jour-là serait pour les deux amis un jour comme les autres. Rico rentra un soir portant sur son bras un manteau doublé de peau de mouton. Il l'offrit à Joe. « Tu l'as volé dans un cinéma, Ratso ?

— Pas du tout. Il m'a été donné par un marchand qui soldait sa marchandise.

— J'en crois rien. En tout cas je me promènerai pas dans la rue avec un manteau qui m'appartient pas. Je peux pas supporter l'idée que la personne à qui on l'a volé n'en a pas d'autre. »

Il posa le manteau dans un coin de la pièce.
Il continuerait à sortir avec sa veste de peau
qui, à l'entendre, le protégeait très suffisamment du froid. Ce qui ne l'empêchait pas de
grelotter et de s'engouffrer dans un magasin
ou dans un cinéma chaque fois qu'il en avait
l'occasion.

La nervosité grandissante de Joe était-elle
due à la vie monotone qu'il menait ? Probablement non. Quelque chose en lui disait que le
mot monotone n'a pas de sens. On peut faire
les mêmes gestes, parcourir les mêmes rues,
penser aux mêmes choses sans réaliser qu'un
travail s'opère en vous. Un jour on s'aperçoit
que l'on n'est plus celui que l'on croyait être
et que le monde a changé d'aspect. Inutile de
dire que de telles idées ne faisaient que traverser l'esprit de Joe. Elles apparaissaient à la
surface de sa conscience et s'évanouissaient presque aussitôt. Le plus souvent il attribuait sa
nervosité à la peur du VIDE. Se doutait-il que
ce vide allait bientôt être comblé ?

XIII

« C'est lui ? dit le garçon.

— Une minute, dit la fille. Laisse-moi le regarder. » Elle posa sa main sur l'épaule de Joe.

Il était assis à une table du Nedick de la Huitième Rue et buvait un café. Entendant ces voix derrière lui, il se retourna. Deux jeunes gens, presque des enfants, le dévisageaient. Ils étaient habillés de la même façon : blue-jeans très étroits et chandails noirs à cols roulés. Frère et sœur sans doute. Il était difficile de leur attribuer un sexe. Leurs cheveux avaient la même longueur, courts pour une fille et longs pour un garçon. Ils étaient très jolis, blonds avec des yeux gris. Aucun des deux n'était maquillé.

La fille prit Joe par le menton et le regarda fixement. « Oui, dit-elle, c'est lui. »

Le garçon remit à Joe une feuille de papier orange entourée d'une bande de papier gommé. Sur la bande était apposée une étoile d'argent.

Joe attendit qu'ils se soient éloignés pour lire les mots écrits sur la feuille orange.

Vous êtes prié de vous présenter avant minuit au Royaume de l'Enfer qui se trouve dans une soupente à l'angle de Broadway et d'Harmony Street. Là, on vous empoisonnera.

HANSEL ET GRETEL MACALBERTSON.

Joe sortit sur le trottoir et regarda à droite et à gauche. Les MacAlbertson avaient disparu. Il relut le message. « AVANT MINUIT. » Il leva les yeux sur l'horloge de la tour en briques rouges de la prison des femmes. Elle marquait onze heures. Il alluma une cigarette. Ces jeunes gens étaient très sympathiques, mais que penser de leur invitation ? Il aurait bien voulu qu'on l'éclairât. Il fit quelques pas sur la Sixième Avenue et se trouva nez à nez avec Rico. Il portait le manteau de peau de mouton au sujet duquel ils s'étaient disputés. Dans son regard, il y avait un air de défi, mais la pensée de Joe était à mille lieues du manteau volé. Il tendit à Rico le rouleau de papier gommé. « Lis ça », dit-il. Il lui expliqua comment le message était venu en sa possession. « Dans le café, il n'y a qu'à moi qu'ils en ont donné un. » Il n'arrivait pas à dissimuler sa fierté.

Rico releva le col du manteau jusqu'à ses oreilles et se mit à marcher. « On y va, dit-il.

— Qu'est-ce que ça peut être, bonhomme ?

— Une réunion de mardi gras.

— Le mardi gras, c'est pas en décembre.

— Cherchons pas midi à quatorze heures. C'est une réception et nous sommes invités.

— Nous ? Il n'est pas question de toi.

— Qu'est-ce que ça peut foutre ? »

Les deux amis s'engagèrent dans la Huitième Rue, en direction de Broadway. Joe réfléchissait : « Elle m'a regardé attentivement et elle a dit : « C'est lui. » Je me demande comment ils m'ont découvert. Mes souliers et mon chapeau peut-être ? Ou bien ma gueule, mon sex-appeal ? »

A l'idée de son sex-appeal auquel il ne pensait plus depuis des semaines, il sourit. Justement, ils passaient devant une glace apposée à la porte d'un boulanger. Son sourire — ce n'était pas la première fois — le réconforta. Il dit à Rico : « Tu sais, il y a pas si longtemps, j'étais dans le salon de Sally Buck en train de regarder la télé.

— Alors ? dit Rico en levant les yeux sur son camarade.

— C'était à Albuquerque ou ailleurs, je me rappelle plus. Et où est-ce que je suis maintenant ? Dans ce sacré New York... et on m'a invité à une sacrée fête... Tu me suis ?

— Pas du tout. »

Ce que pensait Joe était si clair pour lui qu'il se dit que si Rico ne comprenait pas, c'était qu'il ne voulait pas comprendre.

« Sale petit métèque, est-ce que tu t'imagines ?

— De quoi, de quoi ? » Rico avait bondi de rage.

« Je sais ce que je dis. D'ailleurs, ils te laisseront peut-être pas entrer.

— Tu paries ?

— Je leur dirai qu'ils peuvent pas m'avoir sans toi.

— ! ! !

— Alors, t'en fais pas.

— Je m'en fais pas. T'es emmerdant, tu sais.

— C'est comme si tu y étais déjà. D'ailleurs, t'es présentable.

— Qui a dit que j'étais pas présentable ?

— Si tu t'étais fait couper les cheveux et si t'avais un peu de viande sur les os, tu serais pas mal du tout.

— Merci beaucoup.

— Je leur dirai : « Je vais nulle part sans mon pote. » D'accord ? »

Ils marchèrent quelques minutes en silence. Un vent glacial soufflait et de temps en temps ils trébuchaient sur un petit tas de neige. Rico, dont la bouche projetait une buée chaude, dit : « T'as pas envie que j'y aille avec toi. Vrai ou pas vrai ?

— J'ai pas dit ça.

— Ecoute-moi, Joe. T'es un incapable. Tu sais pas parler. Tu sais pas te protéger du froid. Tu te torches le cul que si je te tends le papier. Tu peux pas te passer de moi. Je vais te dire une chose. J'ai pas du tout envie d'aller à ce pince-fesses. Je me fous de ton Hansel et de ta Gretel comme de ma première chaussette. Vas-y tout seul et démerde-toi. Bonsoir.

— Donne-moi le papier, pour l'adresse », dit Joe.

Il lui arracha le rouleau des mains et s'éloigna à grands pas.

Au prochain croisement, il se retourna. Rico n'avait pas bougé. Il serrait son manteau sur sa poitrine, les yeux fixés sur son camarade. Joe — sa colère était tombée — lui fit un signe de la main. L'autre se hâta de le rejoindre.

Ils descendirent Broadway et arrivèrent à Harmony Street. La maison d'angle n'avait guère d'apparence. Dans le hall, une carte de visite, recouverte de plexi-glass, indiquait l'étage des MacAlbertson, le troisième. Après avoir monté quelques marches, Rico se pencha à la rampe. Sa figure et ses cheveux étaient trempés. Sa respiration faisait un bruit de soufflet de forge. Joe était si habitué à entendre Rico éternuer et tousser et à voir son visage prendre une expression douloureuse qu'il ne s'en préoc-

cupait plùs. Pour la première fois depuis des
semaines, il le regarda avec attention. Sous la
lueur il vit des joues grises tournant au vert,
des yeux rouges avec de grands cernes, des
lèvres bleu lavande.

« Ça va pas, bonhomme ? » Il ne quittait
pas Rico des yeux.

« Qu'est-ce qui me prend ? On dirait que je
saigne ?

— Tu saignes pas, mais tu sues. As-tu un
mouchoir ? »

Ratso s'essuya le front avec sa manche. Joe
dénoua sa ceinture. « Approche-toi, dit-il.

— Non, dit l'autre.

— Approche-toi que je te dis. On peut pas
aller à une réception avec la tête mouillée. »
Il frotta la tête de son camarade avec le pan
de sa chemise. « Ça va. Maintenant donne-moi
ton peigne.

— J'en ai pas. »

Joe lui passa le sien. « Tes poux ne me tue-
ront pas », dit-il. La chevelure de Rico était
tellement embroussaillée que trois dents du
peigne se cassèrent. Il acheva le travail en
égalisant quelques mèches folles avec sa main.

« Je suis bien maintenant ? » demanda-t-il.
A dire vrai, il n'avait pas l'air bien du tout.
Une pensée traversa l'esprit de Joe, une pensée
si affreuse que son cœur s'arrêta de battre.
Sans aucun doute, Rico avait eu la même
pensée. Il suffisait de le regarder. Joe crut qu'il
allait dire quelque chose, mais le petit homme
tourna la tête et commença à monter l'escalier.
Arrivé sur le palier du second étage, il se pencha et dit d'une voix hargneuse : « On y va
à cette réception ? Tu te décides ? » Sans doute
voulait-il donner le change.

Ce qu'éprouvait Joe, ici, au bas de l'escalier,
était au-delà de l'horreur.

« Monte ! » lui cria Rico. Quand Joe l'eut
rejoint, il se saisit de la rampe et se hissa jusqu'à l'étage suivant.

TROISIÈME PARTIE

I

LA rampe était couverte de manteaux, de vestes et de cache-nez. Rico ayant déposé sa peau de mouton regarda les caoutchoucs alignés sur le parquet. « J'en piquerai une paire en partant », se dit-il.

La porte du salon était ouverte. Rico y entra suivi de Joe qui, on ne peut plus intimidé, serrait les lèvres et fronçait les sourcils. La pièce s'étendait sur toute la longueur de l'immeuble. Elle était pleine de monde, mais relativement silencieuse. Trois musiciens jouaient en sourdine. Les rires étaient discrets. Des jeunes gens dansaient en cherchant à ne pas se faire remarquer. Quelques-uns étaient assis par terre. Un couple se tenait par la main, la fille, blanche, le garçon, d'un noir d'ébène. Leurs yeux regardaient dans le vide avec une sorte d'angoisse. Ceux qui n'avaient pas trouvé de partenaire erraient dans la pièce en quête d'un verre, d'une cigarette, d'un sourire, de quelques mots à échanger. Ils paraissaient avoir honte de leur solitude. Le buffet était adossé au mur du fond. Il était chargé de victuailles.

Ce ne fut qu'au bout de quelques minutes — le salon était peu éclairé — que Joe découvrit les jeunes MacAlbertson. Ils étaient assis aux pieds d'une dame très maigre et très maquillée dont les cheveux blancs pendaient sur les épaules. Derrière l'étrange trio, il y avait, tendu sur le mur, une grande bande de papier d'emballage sur laquelle était écrit en lettres noires : « IL EST PLUS TARD QUE VOUS NE PENSEZ. »

Les MacAlbertson ne faisaient pas un mouvement, leurs yeux étaient sans expression. La vieille dame en revanche ne cessait de branler du chef et de jeter autour d'elle des regards épouvantés. Elle faisait penser à une marionnette dont des enfants impertinents auraient actionné les fils pour lui donner l'apparence d'une parente morte depuis longtemps.

Devant Hansel MacAlbertson étaient posés

quelques flacons. Il sortit de l'un d'eux une araignée (ou un ver ?) qu'il posa sur la langue d'une très belle négresse. Elle l'avala en se trémoussant d'aise. Après quoi, elle se dirigea vers le centre de la pièce et se jeta dans les bras d'un colosse de sa race.

Joe allait s'approcher d'Hansel quand sa sœur accrocha son regard et lui fit un signe de tête assez mystérieux. Il aurait voulu appeler Rico à son secours, mais le gnome était au buffet où il remplissait ses poches de saucisson.

Gretel MacAlbertson était maintenant à côté de Joe. De près son visage était moins inquiétant. Peut-être, après tout, ne reflétait-il que de l'ennui. « Bon, vous êtes ici, dit-elle. Avez-vous besoin de quelque chose ? Il y a de la bière et de l'eau gazeuse. » Elle ouvrit son poing et lui montra une capsule bizarre. « Et il y a ceci. C'est du haschich. En voulez-vous ? »

Joe regarda la capsule et rit pour cacher son embarras. Elle fronça les sourcils : « Prenez-le », dit-elle d'un ton impératif.

Joe mit la capsule dans sa bouche, la mélangea avec de la salive et l'avala. Assez fier de lui, il leva les yeux sur la jeune fille dans

l'espoir qu'elle l'approuverait d'un sourire. Mais
son geste audacieux n'avait provoqué chez elle
que de l'indifférence. D'un main molle, elle
lui désigna le buffet. « La bière va très bien
avec », dit-elle.

Rico s'approchait avec deux canettes ouvertes. Joe aurait voulu présenter son camarade,
mais déjà Gretel MacAlbertson s'était éloi-
gnée, drapée dans son ennui.

Joe avala une bonne gorgée de bière. Il se
demandait quel effet l'absorption de la capsule
allait produire sur son organisme. Rico dit :
« Tu veux savoir ce que je pense de ces deux-
là ? Le frère est une tante et la sœur n'aime
qu'elle-même. On s'en fout. L'important, c'est
le saucisson du buffet. J'en ai plein ma poche. »

Joe sentit qu'un regard était posé sur lui. Il
se retourna et vit, adossée à la porte de la salle
de bain, une grande jeune femme en robe
qui lui souriait.

Cette salle de bain, était-ce la tente privée
de cette belle créature dans un désert en tech-
nicolor ou bien la partageait-elle avec d'autres
femmes du harem ? Elle ouvrait la bouche,
montrait toutes ses dents et parfois riait d'un

drôle de rire. Elle avait rejeté en arrière sa longue chevelure noire.

Joe trouva son corps très beau, très sensuel.

Elle dit : « Tu en as pris, je le sais. Alors c'est d'accord ? As-tu un endroit ? Parce que moi j'habite chez une copine. D'ailleurs ça n'a pas d'importance. Je m'arrangerai avec elle. Mon Dieu ! à la minute même où je t'ai vu... Est-ce que ça a été la même chose pour toi ? Est-ce que tu as su aussi ?

— Su quoi ?

— Qu'on allait s'envoyer en l'air. »

Rico intervint : « Ma petite dame, je crois qu'on va s'entendre. » Elle ne s'était pas encore aperçue de la présence du gnome. Elle le regarda d'un air étonné. « Mon Dieu ! ne me dites pas que vous êtes un « ménage » ?

— Je suis son impresario, dit Rico. Joe Buck n'est pas n'importe qui. Il est cher.

— CHER ! » La bouche de la jeune femme tomba. Elle regarda Rico, puis Joe. « Est-ce que c'est VRAI ? » dit-elle. Joe détourna la tête.

« Mon Dieu ! s'écria-t-elle. C'en est UN. Je n'arrive pas à le croire. » Elle les quitta et alla s'adosser au buffet mais ses yeux ne quittaient pas le cow-boy.

Rico dit : « L'affaire est dans le sac. Elle est prête à donner dix dollars, mais je vais lui en demander vingt.

— Il ne s'agit pas d'argent, commença Joe.

— Ta gueule ! Va lui parler. J'arrangerai ça tout à l'heure. » Rico s'éloigna.

Joe commençait à se sentir très léger. Son corps était devenu une chose de grâce et de puissance. Il éprouva le vieux besoin de se regarder dans la glace.

La femme à la robe orange revint vers lui et dit : « Je suis très excitée. C'est la première fois que ça m'arrive. Dire qu'il faut que j'attende jusqu'à lundi pour le raconter à mon homme. Je ne le vois pas avant. Dis-moi, mon gars, qu'est-ce qui se passerait si je te disais « Je suis preneuse » ? Elle haletait. « Je ne peux te dire à quel point je suis excitée et ce n'est pas le Dexedrine. J'en ai pris bien souvent, ça ne m'a jamais fait ça. Vois, j'ai la chair de poule. »

Elle lui montra son bras. Joe sourit avec modestie.

« Se payer un gigolo. Merveilleux. Vraiment merveilleux. Comme de perdre sa virginité. La fin de quelque chose. Ou plutôt, le contraire. Ma virginité, elle est loin, tu sais. Quand je l'ai perdue, je n'y ai pas attaché d'importance. Après, j'ai cru que je devais épouser tous les hommes avec lesquels je couchais. Enfantin, n'est-ce pas ? »

Elle riait, mais cela ne l'empêchait pas de parler avec volubilité. « Trois maris, je dis *trois* et ensuite je suis devenue un exemple vivant de moralité. De la moralité telle qu'on l'entend dans le Bronx. Mes aventures, je les croyais éternelles. Je pensais que de prendre un amant, c'est comme de se marier. Avec les formalités en moins. D'ailleurs, sur le plan affectif, c'est du pareil au même. Autre forme de moralité. Un jour, je me suis dit : « Pourquoi ne pas faire tout simplement l'amour ? » C'est d'ailleurs l'avis de mon homme, bien qu'il ne l'avoue pas. Ce n'est pas toujours drôle. Ah non ! Quelquefois, je n'arrive pas à... Et puis, ce soir ! Quand je suis sortie de cette salle de bain et que je t'ai vu, j'ai compris que tu étais un symbole. Oui, un symbole. J'ai eu l'impression que je renversais une barrière. A peine croyable n'est-ce pas ? Je me suis jetée à ta tête. Mais je ne veux pas chercher midi à quatorze heures. Je réfléchirai APRÈS. Je me demanderai pourquoi j'ai choisi un gigolo, et un cow-boy par-dessus le marché. Ce soir, je ne veux penser à rien. Je suis toute à toi. Embrasse-moi, s'il te plaît. Tout à l'heure, j'allumerai ma lampe de chevet et je te regarderai de la tête aux pieds. Je n'ai jamais regardé un homme de la tête aux pieds. J'en meurs d'envie. Tu ne peux pas me le refuser. Ça fait partie de ton métier, n'est-ce pas ? A propos, combien est-ce que ça va me coûter ? »

II

JOE regardait la femme, mais il ne comprenait pas ce qu'elle disait. C'était comme si elle eût parlé à travers une glace. Probablement, le phénomène était dû à la capsule qu'il avait absorbée. De même, sa vue s'était obscurcie. Des gens s'agitaient autour de lui comme dans un rêve. Le garçon et la fille vêtus de noir étaient assis aux pieds d'une femme à cheveux blancs, mais le groupe s'était agrandi. Joe sans s'en rendre compte s'était joint à eux. Il comprit tout à coup pourquoi il se trouvait à cette réception. On avait eu besoin d'un quatrième et on était venu le chercher. Ce rôle de quatrième, il le jouait au naturel, parce que de tout temps il y était destiné. Il avait le senti-ment qu'on l'attendait dans ce groupe ou plutôt qu'il en avait toujours fait partie. Le fait

qu'il ne connaissait pas quelques heures plus
tôt ces deux jeunes gens et cette vieille femme
n'avait en soi rien de contradictoire. Une sorte
de logique mystérieuse présidait aux concep-
tions de son cerveau.

Autour d'eux, on commençait à s'agiter.

Un des musiciens frappa sur la grosse caisse.
Les MacAlbertson aidèrent la vieille femme
à se lever. Elle paraissait avoir trop bu ou
s'être droguée. Une fois debout, elle parvint
à marcher sans aide. A chacun de ses gestes,
les bijoux en toc qu'elle portait aux poignets
et aux chevilles faisaient un bruit de ferraille.
« La fête commence », se dit Joe. Drôle de
fête en vérité, mais dont le sens secret venait
de lui être révélé. En était-il de même pour
les autres invités ? Comprenaient-ils qu'ils
étaient unis par un lien dont ils ne soupçon-
naient pas l'existence auparavant ?

La femme aux cheveux blancs ne cessait
de regarder à droite et à gauche d'un air
affolé. Quand son œil noir se posa sur lui,
Joe se mit à trembler. Ce regard, ce n'était pas
celui d'une vieille femme inconnue, c'était celui
de Sally Buck. Dans son souvenir sa grand-

mère était beaucoup plus jeune; ce n'en
était pas moins elle. Elle avait voulu lui adresser un message et elle avait envoyé ces deux
enfants à sa recherche dans les rues de New
York. A voir leurs regards tristes et leurs vêtements sombres, on ne pouvait douter qu'ils
fussent les émissaires d'un autre monde. En
ce moment, Hansel et Gretel se tenaient à côté
de la vieille femme, prêts à la soutenir au cas
où elle trébucherait. Elle leva le bras pour
réclamer le silence, mais oubliant ce qu'elle
avait à dire, elle se mit à ricaner. Une courte
dispute s'éleva entre elle et les MacAlbertson.

La dame en orange de tout à l'heure s'approcha de Joe et lui demanda pourquoi il frisson-
nait. Il parut ne pas entendre la question.
« Tu devrais manger quelque chose, dit-elle.
Je vais t'apporter un sandwich. »

Hansel s'était saisi d'un pinceau et commençait à effacer les mots écrits sur la pancarte :
IL EST PLUS TARD QUE VOUS NE PENSEZ. La vieille
femme cracha dans son mouchoir et dit d'une
voix grasse : « Il n'est pas trop tard. » Elle
envoya quelques baisers à travers la pièce. Tout

à coup elle s'écria : « L'heure est venue ! »
Elle passa sa langue sur ses lèvres. Sans doute
étaient-elles trop sèches pour lui permettre de
continuer à parler. Gretel MacAlbertson lui
tendit une bouteille de bière qu'elle vida d'un
trait. Elle paraissait épuisée. « Ces gens n'ont
pas de cœur », dit une femme qui se trouvait
à côté de Joe. Un homme d'un certain âge
rétorqua : « Elle est aussi bien ici qu'à faire
le trottoir. D'ailleurs, elle est soûle. »

Les MacAlbertson faisaient la leçon à la pauvre créature. Elle paraissait ne pas vouloir leur
obéir. Les yeux des jeunes gens lançaient des
éclairs. Elle finit par céder et hurla : « Le
temps nous a échappé. Le temps n'existe plus ! »
Hansel et Gretel approuvèrent de la tête. Mais,
déjà, la vieille marionnette s'était écroulée au
milieu de la pièce.

Les invités étaient divisés en deux clans :
ceux qui applaudissaient et riaient aux éclats,
ceux qui tapaient du pied en manière de pro-
testation.

Rico s'approcha de Joe et lui dit à l'oreille :
« Ils sont cinglés. Foutons le camp. » Joe fit
semblant de ne pas entendre. Il traversa la pièce

en enjambant des corps et des chaises renversées.
Il voulait s'approcher de la vieille femme qui
avait repris sa place à côté des MacAlbertson.
En chemin, il se heurta à la robe orange. Elle
tenait à la main un énorme sandwich. « J'ai
pensé que ça te ferait du bien », dit-elle. Il
dit : « Merci beaucoup », mais il ne prit pas
le sandwich. Sa pensée était ailleurs. Dans cette
réception, tout était faussé tout à coup. Quelques minutes plus tôt, il avait entrevu quelque chose et il ne savait plus ce que c'était.
Cette vieille femme l'avait joué. Elle détenait
un secret et elle avait refusé de le lui révéler.
Il était maintenant à deux pas d'elle. De près,
elle paraissait encore plus âgée. Visiblement
elle souffrait, et sans doute avait-elle toujours
souffert. Son front n'était qu'une ride. La cou-
che de poudre qui recouvrait son visage dissi-
mulait mal une maladie de peau. Ses paupières
rougies ne cessaient de s'agiter et de temps
en temps ses traits se crispaient comme si elle
avait reçu un coup de pied.

Joe chercha à se rappeler ce qu'il était venu
demander à cette femme. Impossible. Il se
tourna vers les MacAlbertson. Peut-être l'éclai-

reraient-ils ?... Hansel et Gretel ne lui prêtèrent aucune attention. Ils ne pensaient qu'à eux. Comment avait-il pu les trouver sympathiques ? Ce n'était qu'un joli garçon et une jolie fille qui cherchaient à se divertir aux dépens d'une malade.

Joe n'avait jamais été à une réception. N'était-ce donc que cela ? Il se dit qu'errer dans les rues était moins triste.

Un gros homme au visage couperosé posa la main sur son épaule. « Jeune homme, avez-vous entendu ce que maman Cérès a dit ? Elle a dit que votre dernière heure a sonné. Etendez-vous par terre. Vous êtes mort. » L'homme s'adressa à un autre invité : « Avez-vous entendu ce que j'ai dit à ce garçon ? Je lui ai dit que maman Cérès... »

Joe bondit vers cet individu. Il lui saisit le poignet.

« Pourquoi m'avez-vous choisi pour débiter vos conneries ?

— Je ne vous ai pas choisi.

— Merde alors ! Est-ce que ma figure ne vous revient pas ?

— Vous êtes fou. Lâchez-moi.

— Je ne vous fais pas mal. Ce que je veux, c'est une réponse. »

Gretel MacAlbertson et Rico s'étaient approchés. Gretel dit à Joe : « Je vous remercie d'être venu, mais il est temps que vous partiez. » Rico saisit la balle au bond : « On nous fout à la porte. Viens. » Il se mit à fouiller dans l'amas des manteaux.

Joe dit : « Je ne sais pas ce que j'ai. Je me sens tout drôle. » Rico dit : « Moi, je suis claqué. Il faut que je m'étende. » La dame en orange apparut dans l'embrasure de la porte. « Cow-boy, tu ne m'as pas dit ton prix.

— C'est Rico que ça regarde. »

Rico dit : « Vingt dollars.

— Je suis preneuse... Vous me tondez comme un mouton. On s'en va ?

— J'ai besoin d'un peu d'argent, dit Rico. Vingt dollars pour lui et un dollar en monnaie pour moi.

— Va au diable, dit la femme.

— Je ne demande pas mieux, belle dame, mais pour aller en enfer il me faut un dollar. Le taxi. »

La femme sortit un dollar de son sac. « Quand

j'aurai compté dix, je veux que tu aies disparu. Un, deux, trois... »

Rico commença à descendre les marches.

Joe aida la femme à mettre son manteau. « Tu ne m'as pas dit comment tu t'appelais.

— Il ne connaît pas mon nom ! C'est merveilleux ! Mais je connais le sien. Il s'appelle Joe. Joe ça pourrait être n'importe qui. Joe, viens près de moi. Embrasse-moi sur la bouche, Joe. »

On entendit un bruit sourd dans l'escalier. Joe descendit deux étages quatre à quatre. Rico, agrippé à la rampe, cherchait en vain à se relever. Joe le prit dans ses bras et le déposa sur le palier du premier. Le gnome serrait les dents, son visage était blanc comme un linge. « Qu'est-ce qui se passe ? dit la femme qui les avait rejoints.

— Il est tombé, dit Joe.

— Est-ce qu'il souffre ?

— Pas du tout, dit Rico en faisant une grimace.

— Alors pourquoi faites-vous cette tête et pourquoi vous tenez-vous à la rampe ? Pouvez-vous marcher, oui ou non ?

— Bien sûr que je peux marcher. Voyez plutôt. » Il esquissa un pas de danse.

« Est-ce que tu peux aller jusqu'au métro tout seul ? lui demanda Joe.

— Sûrement pas. Je suis un infirme. Porte-moi.

— Je lui ai donné de l'argent pour prendre un taxi, dit la femme. Laissons-le se débrouiller et allons-nous-en. »

Joe la suivit, penaud.

III

La femme couchée aux côtés de Joe mit sa main sur son épaule.

« Ça arrive, dit-elle. Ne t'en fais pas. Restons tranquilles. Peut-être qu'après avoir dormi un peu... »

Joe allongea le bras et prit une cigarette sur la table de chevet. « Ça ne m'est jamais arrivé. Crois-le si tu veux... Avez-vous une allumette, madame ?

— Dans le tiroir du haut. »

Joe alluma une Lucky Strike. La femme dit : « Peut-être que c'est de ta faute. Avec cette façon de m'appeler « madame ».

Joe était étendu sur le dos et tirait nerveusement sur sa cigarette. « La première fois que ça m'arrive, dit-il. Crois-le si tu veux. »

Elle pouffa. « Je te crois. Ce n'est pas

ça qui me fait rire. J'ai pensé à quelque
chose.

— A quoi ?

— A rien.

— Dis-le, voyons. »

Joe avait les yeux fixés au plafond.

« Eh bien, tu vas le savoir. Je me suis mise
à ta place. J'ai pensé que c'était manquer de
pot pour un « professionnel ». Pas déshonorant,
mais comique. Le tambour-major sans sa canne,
l'agent sans son bâton, etc. N'en parlons
plus. »

Joe se triturait les méninges. A quoi était
due sa défaillance ? Peut-être à la fatigue...
Traîner dans les rues est exténuant. La grande
ville avait appauvri son sang, pompé sa substance. Et pour reconstituer ses forces qu'avait-il
eu à se mettre sous la dent ? Un café crème
par-ci par-là, une assiette de soupe, un plat
de nouilles froid, rien de substantiel.

Quand il s'éveilla, le jour filtrait à travers
les persiennes. La conscience de son échec lui
revint. Depuis qu'il était à New York, tout
lui était un effort, même de sourire ou de
hocher la tête. Un pas sur le trottoir, un coup

de klaxon, le moindre bruit l'exaspérait et contribuait à l'épuiser.

Il ne réalisa pas tout de suite que les forces lui étaient revenues en dormant. Il s'en assura en posant sa main à un certain endroit de son individu. La vue du monde se transforma. Une revanche éclatante s'imposait. Il lui fallait manifester sa vigueur de telle manière que l'arrêt s'inscrive en lettres gigantesques dans le firmament. Il devait faire frémir la terre entière.

La femme dormait, étendue sur le dos. Elle s'offrait. Il glissa sa main dans sa chaude intimité. Elle s'éveilla. Déjà, elle haletait. Il la prit avec une extrême violence. Il désirait lui montrer qu'il cherchait non à lui donner du plaisir mais à la mortifier. Et sans doute n'aurait-elle pas voulu qu'il en fût autrement. Pour l'exciter davantage, elle le mordit à l'épaule. De la main, il musela cette bouche furieuse. Sans répit, il s'acharnait sur elle. A chaque coup de boutoir, elle gémissait et inondait de salive les doigts du garçon. Son corps suivait la cadence qu'il avait imposée. C'était entre eux une lutte sauvage qu'ils entretenaient fébrilement. Elle

enfonça ses ongles dans son dos. Voyant son
sang couler, il se dit que c'était comme cela
qu'ON l'avait affaibli. Il allait LEUR montrer
ce dont il était capable. Cette femme serait
la victime expiatoire. Il redoubla d'ardeur. Elle
grognait comme un animal en rut. Il retira
sa main de sa bouche pour lui permettre de
respirer. Elle se mit à pleurer, puis à rire,
attendant qu'il la délivrât du poids qui l'étouf-
fait. Il la libéra et, chose étrange, il éprouva
de son côté un sentiment de libération. Les
doigts maculés de sang, elle le tenait toujours
enlacé, évoquant en termes crus l'acte auquel
ils venaient de se livrer comme si la vulgarité de
certains mots eût prolongé son plaisir. Joe
enfouit sa tête dans l'oreiller. Deux adolescents
vêtus de noir apparurent devant ses yeux fermés. Les MacAlbertson ! Ils marchaient en se
tenant par la main, détachés du monde, venant
de nulle part et n'allant nulle part, sans père
et mère, sans sexe défini, à la recherche de passants aussi chimériques qu'eux. Dans un éclair,
Joe comprit : ces enfants étaient les siens. Ils
étaient nés de l'accouplement de cette nuit et,
miracle ! ils étaient adultes.

IV

QUELQUES heures plus tard, Joe quitta l'appartement de cette femme. Il s'était rasé, douché et avait versé une eau de toilette très chère sur ses souliers pour en chasser l'odeur. Il avait l'estomac plein et vingt dollars dans sa poche de derrière.

A Times Square, il acheta une paire de chaussettes et alla la mettre dans le vestiaire des hommes de l'Automate. Prodigue tout à coup, il jeta la vieille paire dans la cuvette des W.-C. Il ne lui restait plus qu'à dépenser cinquante *cents* pour faire cirer ses souliers. L'idée lui vint d'offrir des chaussettes et un caleçon long à son ami le gnome. Au drugstore de la Huitième Avenue, il acheta de l'aspirine et du sirop pour la toux. Il se dirigea ensuite vers un Prix-

Unic et choisit un caleçon et deux paires de chaussettes de laine rouge, une grande et une petite, pour qu'elles s'adaptent aux pieds de Rico.

Descendant la Huitième Avenue, ses paquets à la main, il chantait à tue-tête, indifférent au regard étonné des passants. Le soleil, assez chaud en ce début d'après-midi, faisait fondre la neige et il marchait précautionneusement pour ne pas salir ses souliers. Les glaces des magasins lui renvoyaient l'image d'un cow-boy très beau et très sûr de soi. Parfois il s'arrêtait et tendait ses fesses pour jouir de la puissance qui était en elles. Il fit son dernier achat chez un traiteur juif de la Trentième Rue : une boîte en carton contenant de la soupe au poulet.

Arrivé à l'appartement X, il s'arrêta dans le vestibule pour vérifier le contenu de ses paquets : des chaussettes, un caleçon, des médicaments, de la soupe, une cartouche de Lucky Strike. Il sortit les chaussettes de leur enveloppe de nylon et les tint à la hauteur de ses yeux, une dans chaque main. Il pensait qu'elles allaient recouvrir les pieds inégaux de Rico et il pensait aussi à ses autres achats. Il n'aurait su définir l'angoisse qu'il éprouvait. Il se décida enfin à monter l'escalier et à entrer dans l'appartement.

Rico était couché par terre, enveloppé dans des couvertures. Il tremblait de tous ses membres. Joe lui fit avaler deux cachets d'aspirine avec un peu d'eau et alluma le réchaud pour réchauffer la soupe. Il dit : « T'as la fièvre des chats, vieux. » (Sally attribuait aux chats la plupart des maladies qu'il avait eues dans son enfance.) Rico lui répondit qu'un chat ne s'était pas approché de lui depuis des semaines. Il avait la grippe.

Tandis qu'il avalait sa soupe, Joe lui montra le caleçon et les chaussettes. Rico hocha la tête.

« J'aurais pu me passer des chaussettes, dit-il.

— Elles te plaisent pas ?

— Si, j'aime bien le rouge. Mais, Joe, te fâche pas de ce que je vais te dire. Tu promets que tu vas pas te fâcher ?

— Je promets.

— Eh bien, je crois que je pourrai plus

marcher. » Il paraissait très gêné. « Tu sais, je suis beaucoup tombé et...

— Et quoi ?

— J'ai peur. » Il posa le bol de soupe à côté de lui et se remit à trembler.

« T'as peur de quoi ?

— Je te l'ai déjà dit.

— Je sais, mais...

— J'ai peur de ce qu'ils font à ceux qui peuvent pas...

— Qui, ILS ?

— Les flics.

— Tu veux dire ce qu'ils font à ceux qui peuvent pas marcher ? »

Rico fit signe que oui.

« Et tu te demandes ce qu'ils feront de toi ? »

Rico fit de nouveau signe que oui.

Joe qui s'était penché pour prendre le bol de soupe se releva d'un bond. Il hurla : « Quel rapport est-ce que ça a avec les flics ? Ils n'ont pas à savoir qui marche et qui ne marche pas. T'es un con, mon pauvre vieux. Tu sais donc pas qu'on part pour la Floride toi et moi ?

— La Floride ? Des clous !

— Il s'agit seulement de trouver l'argent du car. »

Rico fronça les sourcils. Son ami était-il devenu fou ?

Joe dit : « Réfléchissons. Ici, on se casse le cul pour avoir chaud et pour pas crever de faim. En Floride, il y a le soleil et les noix de coco. Tu m'as assez emmerdé avec ça. »

Il sortit son argent de sa poche et étendit les billets de banque sur la table comme un joueur de poker le fait de son jeu. « C'est la première mise. Je compléterai ce soir. Le car, c'est trente-huit dollars par personne. Il faut donc....

— Tu vas m'emmener ?

— Bien sûr que oui. Le double de trente-huit, c'est combien ?

— Soixante-seize. Moi, Joe, j'ai dix-neuf dollars. Dans ce soulier. »

Joe alla fouiller dans le soulier. « D'où qu'ils viennent ces dix-neuf dollars, Ratso ?

— J'ai fait les manteaux, hier soir.

— Quels manteaux ?

— Ceux des invités, idiot. Tu te rappelles la rampe de l'escalier ? Une chatte y aurait pas retrouvé ses petits. Dix-neuf dollars que j'ai piqués. »

Rico ferma les yeux et réfléchit quelques instants. « Disons qu'il en faut cinquante. Est-ce que t'es capable de ça ?

— Tu parles ! Dans la forme où je suis, c'est rien, moins que rien. A propos, oublie pas tes chaussettes. Faut pas que t'empoisonnes les gens avec tes pieds dans le car. »

Rico avait rouvert les yeux et regardait Joe fixement. « J'y crois pas. J'arrive pas à y croire. » Il se mit sur son séant. « Dis-moi, Joe, tu vas pas faire le con ? Finir dans un commissariat ou quelque chose comme ça ?

— Merde alors ! Joe Buck ne peut pas avoir une idée sans qu'on le traite de con. C'est un peu fort ! »

Il tourna le dos à Rico, prêt à s'en aller pour toujours mais, arrivé à la porte, il se ravisa. « Vieux, dit-il avec un bon sourire, tu pensais pas ce que tu disais. T'as un peu perdu la boule. Je t'en veux pas. Prépare-toi. On part cette nuit. »

Il sortit de la pièce et descendit l'escalier à toute vitesse.

V

DEPUIS plus de deux heures que Joe errait autour de Times Square, rien ne lui avait réussi.
Tout à l'heure, il avait perdu quarante-cinq
minutes à suivre une jolie femme qui, une
fois à la gare centrale, était montée dans un
train en partance pour Newhaven. Revenu
très déçu à Times Square, il était entré dans
un bar « Le Fascination » où il avait perdu un
dollar et vingt *cents* dans la machine à sous.
Maintenant — il était près de huit heures — il
regardait d'un œil morne la devanture d'un
magasin d'accessoires de musique. Il avait l'esprit si engourdi qu'il avait presque oublié l'objet de sa station nocturne. L'aventure pourtant était à deux pas... Un gros homme contemplait la même vitrine que lui. Cet homme d'environ cinquante ans avait un visage rond et

des yeux vifs et concupiscents. Joe lui jeta un coup d'œil et constata qu'il était bleu-blanc-rouge : bleu par ses yeux et son pardessus, blanc par ses cheveux et son foulard de soie, rouge par son teint. Il avait l'air d'un personnage d'opérette.

Joe comprit qu'il lui fallait passer à l'action avant d'être complètement gelé. Au cours de ces nuits d'hiver à Times Square, ses membres devenaient lourds, ses idées confuses. Or dans la vie, il faut toujours faire figure de vainqueur, au physique comme au moral. Il accrocha son sourire et regarda droit dans les yeux l'homme bleu-blanc-rouge. Lui adresser la parole était peut-être déraisonnable. Parler le premier révèle une impatience propre à vous faire baisser votre prix et il y a un autre inconvénient : la personne raclée peut être un policier en civil qui vous emmènera au commissariat... Joe s'apprêtait tout de même à dire quelque chose lorsque l'autre le devança : « Comment allez-vous, jeune homme ? » Le gros homme sourit, découvrant des dents très blanches, d'une régularité parfaite. Le contact s'établit sans peine. Quelqu'un qui serait passé par là aurait pu croire qu'il s'agissait de deux amis d'enfance se retrouvant par hasard après des années d'atroce séparation.

Le gros monsieur — dès qu'il eut ouvert la bouche, Joe eut l'impression qu'il ne s'arrêterait jamais de parler — avait une voix à la fois grave et mièvre qui faisait penser à un taureau hystérique et efféminé. Il se présenta comme Townsend Locke, de Chicago (appelez-moi Towny). Il était « dans le papier ». Il était venu à New York pour une assemblée. « Et aussi, nom de Dieu, pour m'amuser un peu. C'est ma première nuit en ville et je serais au désespoir si vous n'acceptiez pas de dîner avec moi. Vous dites oui, n'est-ce pas ? »

Joe n'eut pas le temps de répondre. Déjà l'homme lui avait pris le bras et l'entraînait vers la Quarante-deuxième Rue. Il n'arrêtait pas de parler et, comme beaucoup de bavards, ne paraissait pas se soucier d'être écouté. Il sautait d'un sujet à un autre avec la légèreté d'un papillon : Chicago, la nourriture, sa mère, New York, les lieux de plaisir, sa mère encore, le Pacifique, les restaurants, la religion, l'art de la conversation. « Ce que j'aime en vous, jeune homme, c'est que vous savez parler », dit-il à un moment donné et Joe, stupéfait, approuva de la tête.

« Où voulez-vous dîner ? Je vous donne le choix entre tous les restaurants de l'île de Manhattan. Que dis-je, de Manhattan. De toute la côte Est. S'il y a un endroit qui vous attire particulièrement à New Jersey, à Long Island ou même à Philadelphie, je louerai une voiture. Que pensez-vous du Chambord ? ou du Luau ? La façon dont vous êtes habillé n'a aucune importance. Ils me connaissent. Je leur dirai que vous êtes ici pour un rodéo. Il y a toujours un rodéo à New York. D'ailleurs, vous êtes très bien comme ça. Dans les restaurants vraiment chic, on ne vous demande pas de porter une cravate. Mais, nom d'un chien — il fit claquer ses doigts — je vais vous dire ce que nous allons faire. Nous allons dîner dans ma chambre. J'attends un coup de téléphone à neuf heures et demie. Ma mère m'appelle toujours avant de se mettre au lit. Elle a quatre-vingt-quatorze ans et elle serait très déçue de ne pas me trouver. N'est-ce pas que ce sera sympathique ? J'ai un petit appartement très agréable

à l'Europa, près de la Neuvième Avenue. La
plupart de mes amis habitent le Pierre ou le
Plazza. Grand bien leur fasse ! Il y a cinquante
ans, l'Europa était le seul hôtel de Manhattan.
De hauts plafonds, des salles de bain en marbre.
Je n'aime pas ce qui est ultra-moderne. Regardez ce hall. »

Un jeune homme maigre et pâle s'approcha
de Joe et lui glissa dans la main un bout de
papier sur lequel était écrit : VOUS ETES DANS UNE
MAISON EN FEU ET IL N'Y A QU'UN POMPIER : JÉSUS.
Joe enfouit le papier dans sa poche. « Regardez
ce hall, je le trouve merveilleux », dit Townsend Locke.

Le hall de l'Europa était livré à des com-
merces de tous genres. Il y avait un photomaton,
une parfumerie, des distributeurs de sodas et
de cigarettes, etc. Le sol, recouvert d'un vieux
carrelage, dégageait une odeur de chlore. Le
concierge, un homme falot à cheveux gris, paraissait ne pas s'intéresser aux allées et venues
des clients. Sans doute, sa discrétion l'avait-elle
désigné pour cet emploi.

Les deux hommes montèrent dans un ascenseur d'une extraordinaire lenteur. Townsend

Locke parla sans arrêt jusqu'au cinquième étage,
puis dans le couloir qui menait à son appartement. « Savez-vous ce que j'aime le plus à
New York ? Macy, le Parc, le Village, les lumières, la foule d'étrangers, la joie de vivre,
l'anonymat, la liberté. Ici, je perds la notion
de temps. A Chicago, chaque minute compte.
Ecoutez ! Ecoutez ! Le Temps, c'est le Colosse
des Anciens, un maître inexorable. L'entendez-
vous qui remonte Broadway ? Il arrive. »

Ils étaient dans le salon attenant à la chambre
à coucher et, penchés à la fenêtre, ils regardaient la Quarante-deuxième Rue. Le bruit
auquel Locke avait voulu donner un nom de
l'antiquité montait jusqu'à eux. On aurait dit
un million de moteurs fonctionnant au même
rythme et n'émettant qu'un son.

« Vous et moi, nous sommes un élément
de ce vacarme. N'est-ce pas fascinant ? Quand
j'y pense, mon cœur bat plus vite. Je perds un
peu la tête. Voulez-vous boire quelque chose ?
Du gin ou du raki ?

— Du gin, s'il vous plaît.

— Va pour le gin. Mais revenons au Temps.
C'est un problème qui m'obsède. Ici, je suis

sous une espèce de charme, mais à Chicago, j'ai
des crises de dépression atroces. J'éprouve le
sentiment que la pendule s'est arrêtée il y a
vingt ans et que tout ce qui arrive depuis n'est
qu'une farce odieuse. Quand je suis dans cet
état, je trouve absolument grotesque qu'il y
ait quelque part sur cette terre un monsieur à
cheveux blancs, le monsieur à cheveux blancs
qui est devant vous en ce moment. CE MONSIEUR
N'EXISTE PAS. Il y a eu une guerre. Il y a eu
un jeune officier en uniforme d'une très grande
beauté et IL EST MORT SUR LE CHAMP DE BATAILLE.
Mais voilà, il n'est pas mort sur le champ de
bataille. Il vit toujours. C'est une méprise de
la Providence.

« Assez parlé de moi. Je ne dirai plus un
mot de la soirée. Voici votre verre. Je suis tout
à vous. Dites-moi ce qui se passe dans l'Ouest.
Parlez-moi de vos troupeaux. Mais d'abord
laissez-moi vous dire que l'Ouest exerce sur
moi une véritable fascination. Ces grands es-
paces vides, ces hommes vêtus de cuir... Si vous
n'étiez pas quelqu'un d'exceptionnel — je l'ai
compris tout de suite — si vous n'aviez pas ces
dons du corps et de l'esprit qu'on trouve rare-

ment chez la même personne, je n'en aurais
pas moins eu pour vous cette, cette... (il posa sa
main sur son cœur pour demander à celui-ci de
lui dicter le mot qu'il cherchait)... SYMPATHIE.
Uniquement parce que vous êtes de l'Ouest. Ma
mère est comme moi. L'Ouest l'attire à un
degré incroyable. Elle vous adorera. Quand elle
téléphonera à neuf heures et demie — il regarda
sa montre — je vous passerai l'appareil et vous
direz : « Bonsoir, Estelle. Je suis... » Comment
vous appelez-vous ?

— Joe.

— Bonsoir, Estelle. Je suis Joe et votre fils
est très sage ou quelque chose comme ça. Je
vous présenterai. Je lui dirai que vous êtes un
cow-boy et elle sera ravie. Quatre-vingt-quatorze
ans ! Et un esprit comme du vif-argent. Savez-
vous ce que j'ai fait pour son anniversaire ?
Mais ça vous est peut-être égal ? Cette charmante
vieille dame, vous ne la connaissez pas...

— Je veux que vous me racontiez tout. »

Joe avait compris que c'était son intérêt de
laisser parler cet homme, ne serait-ce que pour
se donner à lui-même le temps de réfléchir.
Townsend Locke n'avait peut-être pas des mil-

lions, mais il était suffisamment riche pour pouvoir le tirer d'embarras. Il aurait pu habiter un
hôtel plus confortable; s'il avait choisi celui-ci
c'était pour assouvir certains appétits.

Joe était assis sur le divan, Locke dans une
énorme bergère. Tôt ou tard, inévitablement,
Locke se dirigerait vers le divan, poserait sa
main à un endroit précis et... Joe se demanda
quelle tactique il emploierait à ce moment-là.
Aborderait-il de but en blanc la question
d'argent ? Force lui était de reconnaître que
l'homme lui était sympathique, mais les affaires
sont les affaires.

« ...J'avais fait venir des musiciens. Imaginez
la scène. Une vieille dame assise dans son lit,
un bonnet de dentelle sur ses jolis cheveux —
je la coiffe moi-même deux fois par semaine —
et à ses pieds le quatuor à cordes de Vienne
jouant : *Heureux anniversaire, chère Estelle.* »

Locke fredonna quelques mesures et des larmes lui montèrent aux yeux. « La veille, ils
avaient joué du Beethoven devant deux mille
personnes. C'est le genre de choses que je fais
pour elle. Ça me coûte cher, mais ma vie s'en
trouve enrichie. Les gens disent que je gâte

Estelle. Ils se trompent. C'est moi que je gâte. »

Il prononça ces derniers mots avec une force presque sauvage.

Il se tut quelques instants et reprit d'une voix plus calme : « Ma mère a une sensibilité exquise. Le bonheur de vivre auprès d'elle vaut n'importe quel sacrifice. Des amis à moi prétendent que mon amour pour elle est contre nature. A les entendre, j'aurais dû me marier. »

Après un nouveau silence, il leva le verre qu'il tenait à la main — si brusquement qu'une partie du liquide se répandit sur son pantalon — et porta un toast à « l'Ouest, au merveilleux Ouest ».

Il se remit à parler. « Je suis un homme ardent et nous vivons à une époque où toute passion est suspecte. Pour désigner les valeurs auxquelles nous sommes attachés, on emploie des expressions ridicules. Le mot « culpabilité » a remplacé le mot « devoir », un homme était fidèle, il est « fixé », il n'est plus amoureux, il souffre d'un « complexe ». Et ce ne sont pas des médecins qui s'expriment ainsi, ce sont vos meilleurs amis. Quelle indiscrétion de leur part ! Ce que j'aime en vous, mon petit, c'est que vous ne vous mêlez pas de la vie privée des autres. Un psychiatre, un vrai, m'a dit que l'homme cherche toute sa vie à conserver l'amour de sa mère. Je n'avais pas besoin de lui donner cinquante dollars pour savoir cela. Je n'ai jamais eu d'autre idéal. Je voudrais mourir avant elle. Et c'est probable : MA MÈRE NE MOURRA PAS. Les femmes de son espèce se cramponnent à la vie de toutes leurs forces. Quel courage il leur a fallu pour traverser ce pays en chariots couverts à l'époque de la conquête ! Ce sont elles qui ont entraîné les hommes. Savez-vous que ma mère a été au Minnesota en chariot ? Dans l'espace d'une vie, elle a vu ce pays passer de l'âge des cavernes à celui de la civilisation la plus avancée. Nulle part au monde l'évolution n'a été aussi rapide. Ah ! ces femmes d'autre fois ! Nous récoltons la moisson qu'elles ont semée. Nous leur devons tout. » Il envoya un baiser à la photographie d'Estelle qui trônait sur la cheminée. « N'est-ce pas qu'elle est charmante ? On dirait la reine Victoria. Notre maison est entièrement meublée en style victorien. Tentures rouge sombre et meubles capitonnés. Les chambres que nous occupons dans une tour dominent le lac. Je l'emmène au théâtre et à tous les concerts dans son fauteuil roulant. N'est-ce pas, chérie ? » Il envoya un nouveau baiser à la photographie. « Dînons, maintenant, il est temps. »

Suivit une conversation au téléphone au cours de laquelle le standardiste déclara que l'hôtel ne servait pas de repas. Locke chercha longuement à la convaincre que c'était impossible pour la simple raison qu'il avait faim. A un moment donné, il posa sa main sur l'appareil et dit : « Joe, c'est à peine croyable, l'imbécile s'est mis dans la tête qu'il n'y a pas de restaurant à l'hôtel. On ne peut raisonner avec ces gens-là. Comme avec les employés des chemins de fer. C'est pour ça que je prends l'avion. »

Le standardiste finit par admettre qu'il y avait un restaurant chinois dans le même pâté de maisons. Il promit d'envoyer chercher de la soupe de poisson et du poulet au soja.

Townsend Locke ne cessa de parler pendant le repas. On aurait dit qu'il cherchait à bâtir quelque chose avec des mots et qu'une main diabolique s'acharnait à détruire son ouvrage.

On éprouve ce genre d'impuissance dans les cauchemars... Dans ce bavardage incohérent, il n'était pas directement question de Joe Buck, mais chaque mot sorti de la bouche souriante laissait entendre qu'il était un être exceptionnel possédant la virilité de Gary Cooper et le charme de Ronald Colman. C'était flatteur en vérité, mais très lassant. Joe avait toutes les peines du monde à garder les yeux ouverts. De temps en temps une phrase venait frapper ses oreilles. « Ma mère est une femme courageuse. Elle regarde les choses en face. Vous qui êtes de l'Ouest vous comprenez mieux cela qu'un pauvre fabricant de papier. » Joe approuvait de la tête, mais il n'était pas venu ici pour se comporter en garçon bien élevé. Il enrageait parce que jusqu'à présent la soirée ne lui avait rien donné de ce qu'il attendait.

Il était onze heures passées quand la sonnerie du téléphone retentit. Joe en profita pour se rendre dans la salle de bain. Il entendit Locke qui criait dans l'appareil : « Quelle coïncidence, maman, crois-tu ? Je parlais de toi quand le téléphone a sonné. Devine avec qui ? Avec un cow-boy ! Tu n'as pas l'air de m'entendre ? Avec un cow-boy ! Prends ton appareil acoustique, sapristi ! »

Joe plongea son visage dans la cuvette qu'il avait remplie d'eau froide. Lorsqu'il releva la tête, il se regarda dans la glace et dit à son image : « Quand cet emmerdeur aura raccroché, je passerai à l'action. J'en ai assez, plus qu'assez. »

VI

Joe cherchait des yeux quelque chose à voler. Il y avait un rasoir électrique sur la tablette au-dessus du lavabo, mais il était trop grand pour être mis dans sa poche. D'ailleurs, il n'y a pas de prise de courant sur le tronc d'un palmier. Dans l'armoire à pharmacie il ne trouva rien d'intéressant. Ah si ! l'eau de Cologne. Il se déchaussa, retira sa chemise et ouvrit son pantalon. Il vida le flacon en un clin d'œil.

De l'autre côté de la porte, Locke continuait à parler au téléphone. Cela pouvait durer encore longtemps. Joe se tourna de nouveau vers le miroir et procéda à une répétition : « Monsieur... je veux dire Towny, vous ai-je dit que mon enfant était très malade ? Il a eu la polio quand il était tout gosse et maintenant il tousse à fendre l'âme, il a des accès de fièvre, il sue comme une vache. Je voudrais l'emmener dans le Midi. Ecoutez-moi, ÉCOUTEZ-MOI, NOM DE DIEU ! » Se rendant compte qu'il pouvait être entendu de l'autre pièce, il continua un ton plus bas. « Laissez-moi parler. Il y a des heures que je vous écoute. Ça ne m'a pas ennuyé, mais chacun son tour. J'ai quelque chose à vous dire. J'AI BESOIN D'ARGENT. Tout de suite. Alors, si vous voulez qu'on y aille, allons-y ! »

Dans le salon, Townsend Locke était assis sur le bord du divan, la main posée sur le téléphone qu'il venait de raccrocher. Son regard était plein d'angoisse.

« Oh ! dit-il en voyant réapparaître Joe, je me suis conduit comme un enfant. J'ai crié. J'ai été impertinent. Croyez-vous que je devrais la rappeler pour m'excuser ? Mais maman chérie déteste qu'on jette l'argent par les fenêtres. Elle aime le luxe, mais pas le gaspillage. Il y a une nuance. C'est une femme toute en nuances. Je vais essayer de ne plus y penser. Si on buvait un coup ? » Il montra du doigt la bouteille de gin.

« Je vous tiendrai compagnie, dit Joe.

— C'est très gentil. »

Joe avala la moitié d'un verre de gin pur et alla se poster devant le divan, son pelvis à la hauteur du visage de Locke. Il y eut un long silence. Le gros homme avait oublié Chicago, il ne pensait qu'à ce jeune corps à quelques centimètres du sien. Ses yeux reflétaient l'émotion qu'il éprouvait.

« Vous êtes prêt, Towny ?

— Prêt à quoi ? »

Joe avait posé la main sur son sexe. Il ne pouvait y avoir de doute sur ses intentions. « Vous ne m'avez pas demandé de monter chez vous pour enfiler des perles, je pense ?

— Oh ! Joe ! » Locke paraissait bouleversé. Il dit d'une voix que Joe eut peine à reconnaître : « C'est difficile, difficile. Impossible même. Les jeunes ne peuvent pas comprendre. Ils détiennent un trésor : la beauté. Et vous, Joe, vous êtes plus beau que les autres. Votre beauté m'a tout de suite fasciné. Comme aussi votre innocence. Et vous venez de faire un geste obscène, vous avez employé une expression terriblement vulgaire. C'est plus que je n'en peux supporter. Je n'aurais jamais dû vous amener chez moi. N'étais-je pas décidé à me

bien conduire pendant ce séjour ? J'espérais
que nous aurions une gentille conversation qui
nous serait profitable à l'un et à l'autre. Je
vous aurais exposé mes idées sur le monde, sans
me préoccuper de votre âge. Je demandais sans
doute l'impossible. »

Il avala une gorgée de gin et dit, la voix
dure : « J'ai la vie en horreur. » Il eut un petit
rire, comme s'il eût voulu démentir ses dernières paroles. Mais le rire sonna faux. « Mon
petit, je vous demande de vous en aller. Ne
rendez pas les choses plus difficiles qu'elles ne
le sont. Partez pendant que j'ai encore la force
de vous le demander.

— Vous voulez que je parte ? dit Joe qui
n'en croyait pas ses oreilles.

— Je le veux. Je ne le veux pas. Oui, je le
veux. Il faut que vous me compreniez. Partez ! »

Locke se leva. « Aidez-moi, s'il vous plaît.
Je ne veux pas être celui que j'étais en juil-
let. »

Joe se dirigea vers la porte. Locke dit :
« Revenez me voir demain. Vous me le promet-
tez ?

— Qu'est-ce qu'on fera demain qu'on ne peut pas faire aujourd'hui ?

— Ce sera différent. Je serai moins nerveux. Je ne peux pas vous dire à quel point je me sens mal. J'ai l'impression que la foudre va tomber. Et je le souhaite. Mais quand tombera-t-elle ? Voilà ce qui me met dans cet état. » Il chercha à rire mais n'y réussit pas. « Voyez comme mon cœur bat ! » Il avait pris la main de Joe et l'avait posée à l'intérieur de son veston. « Tout ce soir m'a fait souffrir : le bruit infernal de la rue, les cochonneries qu'on nous a données à manger, le coup de téléphone d'Estelle. Mais demain, ah demain ! Vous reviendrez demain, n'est-ce pas ?

— Je serai parti pour la Floride, dit Joe.

— Ne me dites pas ça ! J'ai la chance de vous rencontrer, vous me comprenez comme personne ne m'a jamais compris, et vous partez, vous partez pour le bout du monde. Cher Joe, je vais vous faire un petit cadeau pour votre voyage. »

Joe avait déjà la main sur la poignée de la porte. Il se demanda ce qu'allait lui donner ce vieux qui habitait un château avec une tour et qui louait des musiciens pour l'anniversaire de sa mère. Dans la pièce voisine, Locke ouvrait et refermait un tiroir. Il revint en tenant quelque chose dans son poing fermé. Il ouvrit les doigts et Joe vit dans la paume de la grosse main rouge... une médaille de saint Christophe. « Prenez-la même si vous n'êtes pas catholique. Saint Christophe est le patron de *tous* les voyageurs. »

Joe hocha la tête. « Mon enfant, n'hésitez pas. C'est un plaisir pour moi de vous donner cette médaille à laquelle je tiens beaucoup. Vous m'avez fait tant de bien ! » Le saint Christophe fut glissé dans sa poche. Joe sortit brusquement de la pièce et enfila le couloir. Alors qu'il était près de l'ascenseur, il entendit Locke qui lui criait d'une voix angoissée : « Mon petit, qu'est-ce qu'il y a ? Qu'est-ce qu'il y a ? »

Il ne se donna pas la peine de répondre.

VII

La soirée avait beaucoup éprouvé Joe. En montant l'escalier de l'appartement X, il se demanda ce qu'il pourrait bien raconter à Rico. Il s'assit sur une marche et se mit à réfléchir. « Je lui dirai ceci : « Ratso... » non je l'appellerai Rico, « ça a foiré ce soir mais j'ai une « idée pour demain. Dans deux jours au plus « tard, on sera dans le car. Qu'est-ce que t'en « dis ? » Joe hocha la tête. Son petit discours ne convaincrait pas Rico. On ne lui bourrait pas facilement le crâne. Mieux valait dire : « Petit, j'ai déjà une partie de la somme. Je trouverai demain les vingt derniers dollars et on mettra les voiles. »

S'étant décidé pour cette version, Joe poussa la porte de l'appartement. Il trouva Rico couché, ses yeux regardaient dans le vide. Il y eut un silence. « Tu ne demandes pas ce que j'ai fait ce soir, Ratso ? »

L'autre ne répondit pas. Pour une raison inconnue — peut-être *savait*-il la vérité ? — il se tourna du côté du mur. Au bout d'un instant, il dit : « Je viens de rêver. » Il y avait dans sa voix une douceur inaccoutumée.

« T'as pas envie de savoir ce que je viens de faire ? » demanda Joe.

Rico se retourna et leva les yeux. Son regard était ailleurs, très loin.

« Je me fous de tout, dit-il.

— T'as pas envie d'aller en Floride ?

— Non. Couche-toi. T'as besoin de dormir. » Joe aurait bien aimé s'étendre à côté de Rico et il l'aurait fait s'il n'avait vu le visage de son camarade, un visage couleur cendre, avec des yeux rouges et hagards profondément enfoncés dans leurs orbites. De ce moment, il ne pensa plus qu'à entrer en contact avec le tiroir de la commode de Townsend Locke. Dans sa tête, il entendait ce tiroir s'ouvrir et se refermer.

« C'est trop fort, dit-il. Je me suis occupé de tout et maintenant t'as plus envie de partir.

— Tu t'es occupé de quoi ?

— De tout, que je te dis. Je n'ai qu'à m'arrêter quelque part deux minutes et on saute dans le prochain car. Mais, nom de Dieu, si ça te plaît pas, je pars seul. » Il regarda autour de lui. « J'ai besoin de rien de ce qu'est ici. J'ai mon cul et mes poings. Ça me suffit. »

Il se dirigea vers la porte.

« Au revoir, Rico. On se reverra, hein ?

— Au revoir, vieux. »

Mais déjà Joe était revenu auprès de son ami.

« T'as vraiment pas envie de venir en Floride, Rico ?

— Non. »

Joe fit un grand geste.

« Mets tes souliers, idiot. On perd du temps. »

L'autre rejeta ses couvertures et se dirigea en rampant vers ses souliers. Déjà, il nouait les lacets.

Ils prirent un taxi jusqu'à la gare routière. Ils n'avaient pas de bagages, mais leurs poches étaient pleines d'objets disparates. Rico avait mis sur ses épaules une couverture indienne.

En cours de route, il ne cessa de se plaindre. Ses yeux le brûlaient.

« Est-ce que tu sais ce qu'on a quand les yeux vous brûlent ? »

Joe l'aida à s'asseoir sur un banc de la salle d'attente. « Bouge pas d'ici. J'en ai pour dix minutes.

— Tu crois pas qu'on va m'arrêter pour vagabondage ?

— Espèce d'idiot. On prend le car de minuit cinquante pour Miami. T'appelles ça vagabonder ?

— Et si ton type ne donne pas le fric ?

— T'as pas confiance en moi ?

— Non.

— Je t'emmerde ! »

Arrivé à la porte, il se retourna. Rico était secoué de frissons. Il serrait sa couverture contre sa poitrine. Joe lui fit un signe amical de la main. Il traversa la chaussée d'un pas rapide. Une fois dans la Huitième Avenue, il se mit à courir.

VIII

Il courut jusqu'à l'hôtel Europa. L'ascenseur était occupé et il monta l'escalier quatre à quatre. Il ne voulait penser à rien.

Il frappa à la porte de Locke et s'appuya au mur pour reprendre son souffle. Au bout d'un instant il entendit une petite voix qui disait : « Oui ?

— Towny ?

— Qui est là ?

— C'est moi.

— Qui, moi ?

— Joe.

— Joe ?

— Vous savez bien. J'étais avec vous tout à l'heure. »

Joe entendit la clef grincer dans la serrure. La porte s'ouvrit. Townsend Locke était en robe de chambre, sans doute sans rien dessous, les pieds nus dans des pantoufles. Joe dit : « Il faut que je vous parle. »

Pendant quelques instants, Locke le regarda en clignant des paupières, puis il jeta un regard à la clef comme s'il regrettait de s'en être servi. « Savez-vous l'heure qu'il est ? dit-il.

— Ouais, mais c'est important.

— De quoi s'agit-il ?

— Je ne peux pas parler dans le couloir.

— Il est trop tard pour que vous entriez.

— N'avez-vous pas dit que nous étions amis ?

— Oui, mais...

— Vous ne pensiez pas un mot de ce que vous disiez. »

Joe lui donna un coup de coude et pénétra dans le salon de l'appartement. Locke resta près de la porte. Il fronçait les sourcils. « Qu'est-ce que vous avez de si important à me dire ?

— Fermez la porte.

— Vous voulez que je ferme la porte ?

— Ouais. »

A contrecœur, Locke ferma la porte. « Il me faut de l'argent », dit Joe. Locke sourit. « Bien sûr, bien sûr. J'aurais dû y penser. Les jeunes gens sont toujours à court, et puis c'est votre petit bénéfice, n'est-ce pas ? Attendez-moi une minute. Ne bougez pas. »

Il se dirigea vers sa chambre à coucher. Joe le suivit sur la pointe des pieds. Locke ouvrit le tiroir d'une petite table qui se trouvait entre deux lits jumeaux. Il en sortit un portefeuille dans lequel il prit un billet. Il remit le portefeuille dans le tiroir.

A ce moment, il vit Joe dans l'embrasure de la porte. « Oh ! » Sa main, tel un gros pigeon, vola vers sa gorge. Il fit un pas en arrière, heurta la table de chevet et eut juste le temps de rattraper la lampe. « Vous m'avez fait peur. Je vous avais dit de m'attendre dans le salon.

— Je voulais vous éviter quelques pas. Est-ce que c'est pour moi ? » Joe désignait le billet de dix dollars.

« Oui, mon ami. Et vous l'avez bien mérité. Passer toute la soirée à écouter un vieux rabâcheur ! Vous n'avez pas à me remercier.

— Towny, ça ne suffit pas.

— Vraiment ? Malheureusement, c'est le dernier billet qui me reste.

— Il me faut cinquante dollars.

— Cinquante !

— Ouais. Je suis resté très longtemps ici et c'est pas de ma faute si vous n'avez rien voulu faire.

— Je vous ai déjà dit que je n'avais pas cinquante dollars.

— Assez de baratin. Je ne compte pas passer la nuit à vous regarder vous exciter comme un salaud. J'ai une famille et je veux l'emmener en Floride. Allez chercher le fric. »

Locke était adossé à la petite table. « Je comprends, Joe. Je comprends, mais... »

Joe fit un pas en avant. L'autre sursauta. « Qu'est-ce que vous faites ?

— Laissez-moi passer.

— Vous perdez votre temps. Il n'y a rien. »

Joe lui donna une gifle avec le revers de la main. L'homme tomba à la renverse sur le lit. Le coup n'avait pas été très fort mais Locke avait été pris au dépourvu. Revenant à lui, il sauta du lit, se mit à genoux et entoura la petite table de ses deux bras. Son corps bloquait le tiroir. Il avait baissé la tête et observait Joe du coin de l'œil. Celui-ci le saisit par les cheveux et l'obligea à le regarder en face. « Lâchez cette table !

— Non. Il n'y a pas d'argent dedans. Rien que des objets sans importance. »

Joe le gifla de nouveau, cette fois la paume ouverte. Il était hors de lui. C'était maintenant le poing fermé qu'il frappait.

« Continuez, continuez, mon enfant. Je n'ai que ce que je mérite. Toute la soirée j'ai eu des pensées abjectes. Est-ce que j'ai du sang sur la figure ? » Une goutte douceâtre lui tomba dans la bouche. « Je saigne ! Merci, mon Dieu ! Je mérite de saigner.

— Lâchez cette table ! » Joe venait de comprendre que cet homme cherchait à protéger autre chose que son argent. Locke luttait contre le bonheur qui l'avait envahi. Ses yeux brillaient, il souriait d'un air béat. Joe se saisit de la lampe et la balança dans l'air. « Allez-vous me donner cinquante dollars, ou préférez-vous que je vous casse la gueule ? » A en juger par l'attitude de Locke, le dilemme ne se posait pas pour lui. Il regardait la lampe avec une sorte de convoitise. Joe était on ne peut plus embarrassé. Tout à coup il eut l'impression que ce n'était pas lui, mais Locke qui tenait une arme à la main et que si un acte de violence devait se produire ce serait lui qui en serait la victime. « Je vous demande de lâcher cette table », dit-il.

Locke fit non de la tête.

Joe lança la lampe. Elle s'arrêta à quelques centimètres du gros visage. Locke poussa un cri. Un cri de plaisir. Les muscles de son corps se détendirent. Il desserra son emprise sur la table. Que s'était-il passé ? L'homme n'avait pas été atteint par la lampe et il avait renoncé au combat. Joe baissa les yeux et ce qu'il vit sur le tapis l'éclaira. Il sut à quel usage il avait servi.

Délivré de tout scrupule, il se dirigea vers la table de chevet, ouvrit le portefeuille et empocha les cent vingt et un dollars qu'il contenait.

Locke, assis par terre, la tête appuyée sur le bord du lit, dit : « MERCI, MERCI. »

Joe, qui était déjà dans le salon, pensa tout à coup à la position dans laquelle il avait laissé son homme. Il se hâta de rentrer dans la chambre à coucher. Locke se traînait sur les genoux

et cherchait à atteindre le téléphone. « Holà ! »
cria Joe.

Locke pivota sur lui-même.

Les deux hommes se dévisagèrent. Sans doute
la soirée réservait-elle encore des surprises désa-
gréables.

« Je ne voulais appeler personne, dit Locke.
Je vous le jure.

— Ne bougez pas.

— J'allais seulement...

— Taisez-vous. »

Joe réfléchit. Il y avait Locke et le téléphone,
le téléphone et Locke. Tous deux devaient
être réduits au silence avant qu'il quitte l'immeuble. La première chose à faire était de
débrancher le téléphone, c'est-à-dire d'arracher
les fils qui le reliaient au mur. Locke profita
de ce qu'il était occupé à ce travail pour courir
vers le salon. Déjà il l'avait traversé et atteint
la porte du couloir. Joe surgit, tenant à la main
l'appareil détaché de ses liens. Il le lança à
la tête de l'homme. Celui-ci se retourna et le
reçut en pleine mâchoire. Il cracha et des dents
tombèrent sur le tapis.

Joe était bien décidé à en finir avec cet

individu. D'un coup de poing il le fit tomber,
puis il s'assit sur sa poitrine et fourra le récepteur du téléphone dans la bouche édentée. Ses
mains étaient couvertes de sang. Il les essuya
à sa veste et regarda autour de lui. Le sang de
Locke avait giclé dans toutes les directions.
On aurait dit qu'un animal fabuleux — quelque
dragon — avait galopé à travers la pièce et
laissé partout son empreinte.

Joe se retourna quand il fut dans le couloir.
La dernière image qu'il conserverait de Townsend Locke serait celle d'un gros homme recro-
quevillé sur lui-même, cherchant à se débarrasser de l'énorme objet qu'il avait dans la bouche.

IX

Ils louèrent des oreillers et quelques minutes plus tard le conducteur grimpa sur son siège. Dans le microphone, il annonça aux voyageurs qu'il y aurait plusieurs arrêts. On arriverait à Miami dans trente et une heures.

Joe écoutait distraitement. Ce que disait cet homme avait moins d'importance que le son de sa voix, une voix forte et amicale. Il dit à Rico : « Ces gens-là conduisent très bien. — Leur boulot, non ? » répondit l'autre. Le car démarra. « On est partis, dit Rico.

— Ouais.

— Il y en a pour trente et une heures.

— Qu'est-ce que ça peut faire ?

— Ça fait qu'on arrive à huit heures trente. Pas demain. Le jour suivant. A huit heures trente du matin. »

Le car fit des détours dans la ville, entra et sortit d'un tunnel et s'engagea sur l'autoroute.

Joe dit : « Est-ce que t'y crois ?

— Qu'on est partis ?

— Ouais.

— J'arrive pas à y croire.

— Moi non plus. »

Ils restèrent un certain temps sans parler. Joe se retourna pour regarder les autres voyageurs. Visages sympathiques à première vue. Des sièges étaient inoccupés, ce qui leur permettrait d'allonger leurs jambes pour dormir.

« Qu'est-ce qu'on fera d'abord ? demanda Joe.

— Quand on sera arrivés ?

— Ouais.

— On piquera un costume de bain.

— Et on ira à la plage ?

— Sûr. Tu poses de drôles de questions.

— C'est que je connais rien à la Foride. Je m'informe. Mais si je t'emmerde, dis-le. Pourquoi claques-tu des dents comme ça ?

— Je peux pas m'en empêcher. »

Quelques kilomètres plus loin, Rico dit : « On voit les premiers palmiers en Caroline du Sud.

— Comment le sais-tu ?

— Tout le monde sait ça.

— Merde pour la Caroline du Sud. C'est en Floride qu'on va. Si t'as si froid, remonte ta couverture.

— T''es de mauvais poil, Joe.

— Je suis pas de mauvais poil. »

Il y eut un silence.

Quelques minutes plus tard, Rico fit signe à Joe de se rapprocher. Il lui glissa à l'oreille : « Tu l'as pas tué, n'est-ce pas ? » L'autre s'écarta brusquement. « Tais-toi. Tais-toi, s'il te plaît. » Il jeta un coup d'œil à la femme qui se trouvait assise à quelques fauteuils d'eux. Elle dormait, la tête appuyée à la vitre. « Tu peux me le dire, Joe. »

Joe se pencha de nouveau vers Rico et dit très bas : « Tout ce que j'ai fait c'est de lui foutre le téléphone dans la bouche. Tu le sais.

— Dis-moi, Joe. T'as du sang sur ta veste.

— C'est du sang de son nez. Je t'ai déjà dit qu'il saignait du nez. Est-ce que tu cherches à me foutre la frousse ?

— Non, je voulais seulement savoir.

— Savoir quoi ? On n'est pas mort parce qu'on saigne. '» Après un nouveau silence, Joe reprit : « Est-ce que tu crois qu'on peut rester éternellément avec un téléphone dans la gueule ?

— ......

— Et mourir étouffé ?

— T'en fais pas, mon gars. Pense à autre chose. Pense à la Floride. »

Rico remonta la couverture jusqu'à son cou et enfouit sa tête dans l'oreiller. Mais Joe avait envie de parler. « Ratso, est-ce que tu te rends compte qu'après-demain on se chauffera le cul au soleil ? »

Rico regarda Joe d'un air sombre. Il passa ses doigts sur ses dents.

« Qu'est-ce que t'as, bonhomme ?

— Je pense à que'que chose.

— A quoi ?

— Tu lui as cassé les dents ?

— Elles étaient FAUSSES, idiot.

— Fausses ?

— Bien sûr que oui. »

Une heure plus tard, Rico rejeta sa couverture. Joe crut qu'il avait fait le geste dans son

sommeil et la remit en place. Mais Rico ne
dormait pas. Il ouvrit les yeux et dit : « Mon
pauvre Joe, tu vas être emmerdé avec mon nom
quand on sera arrivés. A New York ça allait
encore, mais est-ce que tu me vois en train
de courir vers la mer, le corps tout bronzé,
avec quelqu'un criant derrière moi : « Ratso !
Ratso ! » Je m'appelle Rico, non ? Je me
demande ce qu'on va foutre là-bas. Mon Dieu,
que je sue ! C'est cette sale couverture.

— Fous-la en l'air. Et ôte ta chemise, si le
cœur t'en dit. Attrape une bonne pneumonie.

— Te mets pas en boule. J'ai seulement dit
que je suais et que je voulais pas qu'on
m'appelle Ratso en Floride. »

Joe avait sombré dans un demi-sommeil, peuplé de cauchemars. Dans ces cauchemars, la
nuit de la veille se reconstituait. Chaque fois
que la lampe de chevet allait frapper le crâne
de Townsend Locke, il rouvrait les yeux, épou-
vanté. C'était alors un grand réconfort de voir
qu'il était dans ce car et que Rico somnolait
à côté de lui. D'autres rêves prenaient la relève.
C'était maintenant Woodsy Niles, le vieux flirt
de Sally Buck, dont le cadavre s'asseyait à la

place du conducteur. Les passagers criaient :
« AU SECOURS ! AU SECOURS ! LE CONDUCTEUR EST
MORT ! » Ou bien, le car était arrivé à Miami.
Les voyageurs prenaient leurs valises dans le
filet et se dirigeaient vers la sortie. Tous, sauf
un homme assis à l'arrière qui avait les yeux fermés. Le conducteur s'approchait du dormeur
et s'écriait : « Voilà que j'ai un macchabée
sur les bras ! » Dans le cauchemar, Joe était
le conducteur et l'homme mort était Woodsy
Niles dont les lèvres exsangues laissaient échap-
per quelques sons. Et Joe se souvenait des airs
mélancoliques que son vieil ami chantait dans
le ranch.

Au cours de ses brusques réveils, Joe passait
sa main sous le nez de Rico afin de s'assurer
qu'il respirait.

Vers trois heures et demie du matin, il y eut
un premier arrêt, quelque part dans le Mary-
land. Beaucoup de passagers dormaient. Rico
refusa de bouger. Joe sortit du car et rapporta
du café chaud dans des gobelets en carton.
Bien calés dans leurs fauteuils, ils sirotèrent
leur café et fumèrent des cigarettes.

Rico dit tout à coup : « Vieux, j'ai quelque

chose à te dire. Pendant que t'étais dehors, j'ai essayé de me lever et... (son visage trahissait une grande angoisse).

— Et quoi ?

— J'ai pas pu. »

L'autre fit signe qu'il avait compris.

« Qu'est-ce que je vais devenir, Joe ?

— T'en fais pas. Une fois à Miami, je t'emmènerai chez le toubib. »

Rico hocha la tête. « Il n'y pourra rien. Ce sera deux dollars de foutus.

— Tu oublies que demain on se rôtira au soleil.

— Qu'est-ce que ça a à voir avec le toubib ? Celui-là sera comme les autres. Un incapable.

— Il te dira peut-être de porter des béquilles. »

Les passagers revenaient vers le car.

« Et si je ne veux pas ? »

Joe jugea préférable de ne pas répondre. La route s'étendait devant eux, déserte. Joe comprit que le silence était dangereux. Il fallait parler, dire n'importe quoi. « Ratso, je veux dire, Rico, quand on sera en Floride, je me mettrai à travailler. Est-ce que tu savais ça ? »

Lui-même ne le savait pas un instant plus
tôt. Les mots étaient sortis de sa bouche sans
que sa volonté y fût pour rien. Ils étaient aussi
nouveaux pour lui que pour celui qui l'écoutait. Il poursuivit tandis que le car prenait
de la vitesse : « Je travaillerai, car pour ce
qui est de la retape je suis bouché comme
pas un. Je ferai n'importe quoi. Je balaierai les
rues, je laverai les assiettes. Il faut qu'on ait
du bon temps là-bas. Le soleil et les palmiers,
ça suffit pas. Et puis, tu sais, j'ai pas envie de
dormir sur la plage. Je veux une chambre avec
une salle de bain et un réfrigérateur. Et de
la pâte dentifrice. Et d'autres souliers. Ceux-ci,
je les foutrai dans l'océan. Tout sera neuf et
confortable, même si pour gagner ma vie je
dois attraper des mouches à merde avec un
vieux flingue. »

L'autre écoutait et ne cessait d'approuver
de la tête. Joe posa sa main sur le genou
cagneux. « Oui, je travaillerai. Et je veillerai
sur toi. D'accord ? »

Rico regardait à travers la vitre. Des arbres
noirs éclairés par la lune passaient à toute

vitesse devant ses yeux. « D'accord », dit-il sans tourner la tête.

Les deux amis s'allongèrent et se plongèrent dans leurs pensées. Joe était étonné de ce qu'il avait dit à Rico et plus étonné encore de l'avoir dit avec tant de sincérité. Il avait promis de prendre soin de quelqu'un, de quelqu'un d'infirme de surcroît et il était décidé à tenir parole. Chose étrange, alors qu'il venait de se charger d'un fardeau, il se sentait plus léger qu'avant.

Il ferma les yeux, s'endormit et refit le rêve qu'il avait fait autrefois, celui où des milliers de gens traversaient le monde, liés les uns aux autres par une chaîne lumineuse. Mais, cette nuit, le rêve n'était pas tout à fait le même. La chaîne humaine brillait d'un tel éclat qu'il pouvait distinguer les traits des visages. Un de ces visages attira son attention. C'était celui d'un cow-boy qui tenait à la main un lasso en or, comme la chaîne. Où avait-il vu ce visage ? Il réalisa tout à coup que c'était le sien. Ce cow-boy, c'était lui, Joe Buck, qui était enfin parvenu à entrer dans la queue.

La surprise qu'il éprouva lui fit ouvrir les

yeux. Le vent de l'aube soufflait par la vitre entrouverte. Le car baignait dans une lumière grise et froide. Rico ne dormait pas. Son visage était mouillé de larmes. Ses yeux exprimaient une détresse profonde.

« Qu'est-ce qu'il y a ? » demanda Joe.

Rico dit en baissant la tête : « J'ai pissé dans mon froc.

— Et après ?

— Je suis trempé. Le siège aussi est trempé.

— Ne pleure pas, bonhomme. »

Rico cherchait à avaler ses larmes : « Ma jambe me fait mal, ma poitrine me fait mal, ma bouche me fait mal et comme si ce n'était pas assez, je pisse sous moi. »

Joe éclata de rire. C'était la seule chose à faire pour détendre l'atmosphère.

« Je me contrôle plus et tu trouves ça drôle ? »

Joe fit signe que oui. Au bout d'un moment, Rico se mit à rire aussi.

Leur hilarité se poursuivit pendant des kilomètres. Joe l'entretenait avec des plaisanteries d'assez mauvais goût sur les misères du corps humain. Le visage de Rico prenait des tons violacés, les yeux lui sortaient de la tête. Il eut une quinte de toux. Joe se pencha en avant et lui tapa dans le dos.

La crise de fou rire avait visiblement épuisé Rico. Joe lui dit qu'au prochain arrêt il l'installerait sur un fauteuil libre à l'arrière. Lui profiterait de cet arrêt pour courir au magasin le plus proche et acheter un pantalon. Il finit par redonner du courage au pauvre garçon. Quand le car s'arrêta à Richmond à l'heure du petit déjeuner, Rico dormait profondément. Joe avait baissé le store pour le protéger du soleil.

X

Dès que le car eut stoppé à Richmond, Joe quitta son fauteuil et mit pied à terre. La matinée respirait le bonheur. Il se demanda pourquoi il était si heureux. Etait-ce cet air léger, le beau rêve qu'il avait eu cette nuit (il n'arrivait pas à se le rappeler) ou simplement le fait de ne plus être à New York ?

Il entra dans la salle du restaurant, s'assit à une table et commanda des crêpes aux mûres. Il attendait tranquillement d'être servi quand un frisson le parcourut. Il eut un haut-le-cœur. « Je ne vais pas dégueuler devant tout le monde », se dit-il. Il se précipita aux toilettes, se pencha sur la cuvette du lavabo et mit deux doigts dans sa bouche. Il ne parvint pas à vomir. En revanche, des larmes lui montèrent aux yeux. Pourquoi, Seigneur ? Ne s'était-il pas montré grand et généreux aujour-d'hui ?

Il se moucha et retourna à sa table. Les crêpes étaient bonnes, mais il ne s'en aperçut pas. Tout pour lui avait le goût de cette étrange matinée dont les effluves parvenaient jusque dans la pièce enfumée. Laissant sa tasse de café à demi pleine, il se hâta de sortir sur le terre-plein qui se trouvait devant le restaurant. Le sol était templi de mauvaises herbes que le froid n'était pas parvenu à détruire. Des arbres barraient l'horizon, semblables à tous les arbres en hiver. L'air était frais. Le respirer c'était comme de respirer le bleu du ciel. Il se remit à pleurer. Il n'arrivait pas à trouver une raison à sa tristesse. Il s'essuya les yeux avec la man-che de sa veste et rejoignit sa place dans le car. Rico dormait toujours.

Joe eut le sentiment que les villages qu'ils traversaient étaient aussi fiévreux qu'il l'était lui-même. Le samedi n'est pas un jour comme les autres. Les enfants courent dans tous les sens, ravis à l'idée de ne pas aller à l'école le lendemain, les femmes entrent   dans les

« Prix-Unic » et en sortent, les bras chargés de paquets, les garçons font la queue à la porte des coiffeurs désireux de se faire beaux pour la soirée, une soirée qui tarde, qui tarde, mais qui finira par arriver, les vieilles femmes — les vieilles femmes du samedi — bavardent sur le pas de leurs portes, évoquant les beaux week-ends d'antan. A Raleigh, en Caroline du Sud, Joe fut heureux de se mêler pendant quelques minutes à cette foule. Il acheta dans un Woolsworth un pantalon de cuir pour Rico et pour lui-même un veston bleu marine avec des boutons blancs. Il jeta sa vieille veste dans un vide-ordures.

Il revint au car. Rico refusait toujours d'ouvrir les yeux. Joe aurait pourtant voulu l'emmener aux toilettes pour l'aider à changer de pantalon. Il chercha à le sortir de son apathie en lui disant qu'ils étaient en Caroline du Sud et qu'ils devaient faire attention pour ne pas manquer le premier palmier. Mais Rico paraissait indifférent à tout. Il souleva un instant ses paupières. Son regard était vide d'expression.

Deux heures plus tard, à Bennetsville, Joe

profita de ce que les passagers descendaient se
dégourdir les jambes pour transporter son camarade à l'arrière du car. Son caleçon long était
trempé. Le lui retirer ne fut pas une petite
affaire. Rico était inerte comme un nouveau-
né. Joe ne l'avait jamais vu nu. Son petit sexe
était pathétique — un attribut juste bon à pisser.
Sa jambe droite, maigre et tordue, était mar-
quée de la hanche jusqu'au genou de taches
bleues, conséquences de ses récentes chutes.
Sa malheureuse histoire était écrite sur son
corps. A lire cette histoire — il ne parvenait
pas à détourner son regard — Joe éprouva
un sentiment de respect et de tendresse. Il
se vit enveloppant dans la couverture indienne
le corps de l'homme-enfant et le berçant sur
ses genoux jusqu'à l'arrivée.

Les heures de ce samedi s'écoulèrent, riches
et mystérieuses. Rico dormait toujours profondément. Joe pensa que ce sommeil lui faisait
du bien. Quand le car s'arrêta à Savannah
pour le dîner, le soleil avait disparu derrière
l'horizon. Rico ne s'était pas réveillé. Joe décida
de ne pas quitter le car. Il n'avait pas faim.
Il jouissait de cette journée dont le charme

particulier ne s'épuisait pas, bien que la nuit fût venue.

Il pensait à ce qu'il avait dit à Rico. Il savait qu'il ne manquerait pas à sa parole. Il trouverait un emploi et il mènerait une existence régulière dans une chambre avec une salle de bain et un réfrigérateur. Il vivrait comme les gens qu'il avait vus au cours de cette journée. Il serait plongeur dans un restaurant ou commis de magasin. Il se ferait des camarades qui après l'avoir regardé de travers réaliseraient qu'il était semblable à eux, et pas seulement parce qu'ils portaient les mêmes souliers. Ces nouveaux amis l'inviteraient, il leur rendrait leur politesse et parmi ces gens-là il y aurait un jour ou l'autre une femme qui ne serait pas nécessairement blonde mais qui serait maquillée — elles le sont toutes — et qui serait heureuse de vivre avec un homme faisant si bien l'amour. Lui et cette femme considéreraient Rico comme leur enfant. Ils l'obligeraient à se laver la tête au moins une fois par semaine ou bien ils le feraient pour lui s'il était trop malade. Pour en arriver là il fallait travailler dur et ne jamais se dire : « C'EST IMPOSSIBLE. »

Autrefois, à Houston, il avait décidé de devenir un cow-boy de charme et d'aller chercher fortune à l'Est. Il n'avait pas réussi dans son entreprise. Mais il s'était donné du mal. Et c'est cela qui compte. Se donner du mal même si le succès ne couronne pas vos efforts ou s'il ne les couronne que lorsque vous avez une barbe blanche qui traîne jusqu'à terre.

Il réalisa qu'il faisait des projets d'avenir sans se regarder dans la glace et il se demanda si ce n'était pas là un gros progrès.

Il sommeilla toute la nuit. Un conducteur annonça Jacksonville et un autre conducteur annonça Daytona. Les noms de ces deux villes fut tout ce qu'il se rappela de ces longues heures, mais lorsqu'il se réveilla à l'aube, il ne fut pas étonné de ce qu'il vit.

Rico avait glissé du fauteuil. Ses bras étaient grands ouverts et tout raides. Il fixait un point qu'il ne pouvait pas voir.

Rico était mort.

XI

LA journée s'annonçait merveilleuse. Le ciel était bleu turquoise et les palmes se balançaient dans la brise comme dans les dépliants de Rico. Mais quelle importance cela avait-il ? Il devait avant tout s'occuper de l'enterrement. Celui-ci coûterait sans doute très cher. Joe compta son argent. Il y avait quarante-huit dollars dans son portefeuille et un peu de monnaie dans sa poche, mais quand on a pris quelqu'un en charge le moins que l'on puisse faire est de s'occuper de son corps lorsqu'il meurt. Joe se demanda pourquoi c'était cette idée-là qui lui était venue la première à l'esprit. Peut-être aurait-il dû pleurer, avoir une crise de nerfs, s'écrier : « AIDEZ-MOI ! MON AMI EST MORT ! JE SUIS SEUL ! » On ne contrôle pas ses réflexes.

C'était comme s'il savait que cela *devait* arri-

ver. Quelqu'un (qui ? Ratso ?) le lui soufflait
à l'oreille depuis deux jours dans cette langue
venue d'outre-tombe que l'on ne comprend
que lorsque l'heure a sonné.

Et l'heure avait sonné.

Il y aurait donc un enterrement. Mais auparavant on devait sortir le corps du car et ILS...

Qui ILS ?

les passagers du car. Ils lui indiqueraient
peut-être une entreprise de pompes funèbres
qui se chargerait à peu de frais du mort. (Mort,
Ratso... Etait-il vraiment mort ? Oui, il suffisait de le regarder.) Après quoi, il chercherait
un emploi et il le garderait. Quand il aurait
gagné assez de pièces de cinq *cents,* il ferait
placer une pierre sur la tombe de son ami.
Rien de voyant, une simple pierre avec son
nom et son prénom. Rico, pas Ratso et... mais
comment donc écrit-on Rizzo ? Il trouverait
bien quelqu'un à qui le demander. Car il était
essentiel de ne pas se tromper. Les gens ne
devaient pas ignorer que c'était Rico Rizzo
qui était enterré là.

Mais qui dans ce cimetière s'intéresserait à
Rico Rizzo ?

Peu importe. Il fallait que l'inscription fût rédigée convenablement.

Le plus pressant pour l'instant était d'avertir quelqu'un. Et ce quelqu'un ne pouvait être que le conducteur.

Il se dirigea vers son siège et se tint quelques minutes derrière lui sans dire un mot. Le conducteur finit par s'apercevoir de sa présence : « Qu'est-ce qu'il y a, monsieur ? »

Joe dit : « Mon ami est mort, là-bas, au fond de la voiture et je ne sais pas comment on écrit son nom. »

Le conducteur dit : « Vous dites qu'il est *quoi* au fond de la voiture ?

— Je dis qu'il est mort.

— Est-ce que vous vous payez ma... » Le conducteur jeta un coup d'œil à Joe et se remit à fixer la route. Mais ayant regardé dans le rétroviseur, il ralentit. Le car stoppa bientôt au bord de la route. Le conducteur s'extirpa de son siège et suivit Joe jusqu'au fauteuil qu'occupait Rico. Revenu à sa place, il saisit son microphone et dit d'une voix très naturelle : « Tout va bien, messieurs-dames. Nous serons à Miami dans moins d'une heure. » Les

passagers avaient compris que tout n'allait pas
si bien que cela. Ils se tordaient le cou pour
essayer de voir ce qui se passait à l'arrière.

Le conducteur fit mine d'ôter son chapeau;
il n'acheva pas le geste. « Est-ce que c'est un
de vos parents ? » demanda-t-il à Joe.

Joe fit signe que non.

« Voulez-vous lui fermer les yeux ?

— Quoi ?

— C'est très facile. Vous n'avez qu'à vous
pencher et à faire comme ça. »

Joe ferma les yeux de Rico.

« Eh bien, dit le conducteur assez gêné, je
crois qu'on n'a plus qu'à repartir. On ne
peut rien y faire. »

Joe dit : « D'accord. »

Le conducteur fit une nouvelle annonce :
« Rien de grave, messieurs-dames. Un simple
malaise. Nous serons à Miami dans — il
consulta sa montre — quarante minutes. »

Joe, après avoir réfléchi un instant, fit quelque chose qu'il désirait faire depuis le premier
soir où il avait rencontré Rico à l'Everett Bar.
Il le prit dans ses bras.

Ils franchirent, enlacés, les quelques kilomè-

tres qui restaient à parcourir. Cela ne pouvait
pas faire de bien à Rico, mais cela lui faisait
du bien à lui. Car maintenant il avait peur,
terriblement peur.

IMPRIMÉ EN FRANCE PAR BRODARD ET TAUPIN
6, place d'Alleray - Paris.
Usine de La Flèche, le 05-07-1971.
1166-5 - Dépôt légal n° 692, 3e trimestre 1971.
LE LIVRE DE POCHE - 22, avenue Pierre 1er de Serbie - Paris.
30 - 21 - 3176 - 01